Autos biographie

Jacques Godbout

Autos biographie

ILLUSTRATIONS DE RÉMY SIMARD

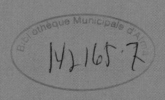
Les 400 coups

Nous remercions le Conseil des Arts du Canada de l'aide accordée à notre programme de publication, et la SODEC pour son appui financier en vertu du Programme d'aide aux entreprises du livre et de l'édition spécialisée.

Nous reconnaissons l'aide financière du gouvernement du Canada par l'entremise du Programme d'aide au développement de l'industrie de l'édition (PADIÉ) pour nos activités d'édition.

Gouvernement du Québec – Programme de crédits d'impôt pour l'édition de livres – Gestion SODEC

Conception graphique et mise en pages : Nicolas Calvé
Révision linguistique : Andrée Laprise
Correction d'épreuves : Louise Chabalier

Autos biographie a été publié sous la direction de Marcel Jean.

© Jacques Godbout et les éditions Les 400 coups, 2008

Dépôt légal – 4e trimestre 2008
Bibliothèque et Archives nationales du Québec
Bibliothèque et Archives Canada

ISBN 978-2-89540-395-1

Diffusion au Canada : Diffusion Dimedia

Diffusion en Europe : Le Seuil

Imprimé au Canada sur les presses de Transcontinental Interglobe

---

**Catalogage avant publication
de Bibliothèque et Archives nationales du Québec
et Bibliothèque et Archives Canada**

Godbout, Jacques, 1933-
    Autos biographie
    ISBN 978-2-89540-395-1

1. Godbout, Jacques, 1933-   . 2. Automobiles – Aspect symbolique. 3. Écrivains québécois – 20e siècle – Biographies. 4. Automobilistes – Québec (Province) – Biographies. I. Simard, Rémy. II. Titre.

PS8513.O26Z46 2008   C848'.5409
PS9513.O26Z46 2008   C2008-941943-X

Auto-défense

*Je me dis que les autoroutes changent vraiment
le monde. Et justement, je pense puisque je roule.*

Serge Bouchard

Rémy Simard n'a pas fait qu'illustrer les propos de cet album, il en est — d'une certaine manière — à l'origine. N'ayant jamais été un être tragique (devrais-je dire hélas?), je n'avais pas encore cédé à la tentation biographique; ma vie, comme celle des peuples heureux, était sans histoire. Comme mon illustrateur insistait pour que je revienne sur le passé, j'ai finalement accepté sa proposition en me donnant une contrainte: les véhicules (motorisés) en seraient le fil conducteur, j'écrirais une autobiographie. Si les objets que l'on trouve dans les tombes anciennes nous permettent de raconter l'histoire des peuples disparus, pourquoi ceux de l'ère industrielle seraient-ils moins révélateurs?

Un milliard et demi de Chinois rêvent de troquer leur triporteur contre une bagnole. L'automobile est à l'individu d'aujourd'hui ce que le château était aux nobles de la Renaissance. Roland Barthes, dans ses Mythologies, en rajoutait: «Je crois que l'automobile, écrivait-il, est aujourd'hui l'équivalent assez exact des grandes cathédrales gothiques: je veux dire une grande création d'époque, conçue passionnément par des artistes inconnus, consommée dans son image, sinon dans son usage, par un peuple entier qui s'approprie en elle un objet parfaitement magique.»

Ceux qui se moquent de la relation particulière qu'entretient un homme avec sa voiture n'ont pas compris qu'elle est plus qu'un symbole, elle est la liberté, la possibilité enfin de quitter son village. Jusqu'à l'arrivée des Ford, Panhard, Oldsmobile, Plymouth, Renault, Fiat, Bentley, Morris, Simca, Honda et autres Jaguar, l'homme n'avait que son cheval, et combien d'aventuriers ont entrepris, comme le marquis de Custine, la traversée d'un continent en carriole? Ajoutons que les carrossiers qui ont façonné la Citroën DS, la Rolls Royce, la Maserati ou l'Alfa Romeo sont des génies de l'art contemporain, au même titre que les sculpteurs Moore ou Brancusi.

L'automobile est aussi une dimension de l'esprit. De tous les moyens de communication des siècles récents (le télégraphe, le téléphone, la radio, le télécopieur, la télévision ou l'ordinateur), elle seule permet au citoyen à la fois de s'isoler, de s'absenter, de réfléchir et de parcourir l'espace en musique. Bien sûr, le transport en commun est une idée généreuse, mais il n'offre que la routine, le parcours prévisible. Comment vagabonder, musarder, se laisser tenter par les chemins de traverse quand on est au fond d'un autocar? Même les chauffeurs de nowhere *savent où ils vont.*

L'automobile, c'est la démocratie: que l'on soit au volant d'une minoune ou d'une Cadillac, les règles sont les mêmes, les limites de vitesse semblables.

Liberté de mouvement, égalité sur la route, fraternité devant la pompe à essence.

Les seules révolutions qui nous ont apporté le bonheur, on le sait, sont celles du moteur à explosion. Les autres annonçaient des dictatures.

J.G.

Le tout-terrain

Ma première voiture fut un landau fabriqué en Angleterre : les ancêtres de ma mère étaient venus d'Écosse et d'Irlande, elle n'allait pas les trahir. Cette voiture d'enfant, composée d'une nacelle rigide à capote mobile, suspendue dans une armature de métal à roues et à guidon se nommait aussi, au Québec, en souvenir de la Nouvelle-France, un « carrosse de bébé ».

Je suis né le 27 novembre 1933 à l'hôpital Notre-Dame de Montréal, où je fus illico baptisé Joseph Louis Jacques, sans être consulté. Mes parents occupaient un appartement au troisième étage (première porte à gauche, en sortant de l'escalier) d'un immeuble de briques rouges, rue Gatineau, dans le quartier de la Côte-des-Neiges.

Cette année-là, Malcolm Campbell faisait rouler sa Bluebird à 437 kilomètres à l'heure près de Salt Lake City ; le président Franklin D. Roosevelt imaginait le *New Deal* pour sortir l'Amérique de la crise économique ; Camillien Houde, maire de Montréal, occupait les chômeurs en faisant édifier des urinoirs publics (on disait des *camilliennes*. N'avait-on pas construit des *vespasiennes* à Rome en d'autres temps ?) ; le Führer Adolf Hitler, après avoir occupé le Reichstag, lançait ses troupiers en chemises brunes contre les commerces des Juifs allemands.

Ma mère était une jolie blonde légèrement enveloppée et très sportive. Je ne sache pas qu'elle ait étudié l'art culinaire ou la puériculture. En réalité, elle n'avait pas fait de longues études : ses parents choisissaient, l'hiver venu, de fermer le Clarendon, un hôtel de villégiature estivale érigé sur les bords du lac Saint-Louis, pour amener avec eux Mariette, leur fille unique, dans des contrées ensoleillées : Cuba, la Floride, les Keys, La Nouvelle-Orléans. Elle mit ainsi plusieurs années à parfaire ses classes primaires et secondaires. Ce qui ne l'empêcha pas de me faire réciter les déclinaisons latines *rosa/rosae/rosam* quand ce fut nécessaire.

Mariette Daoust avait rencontré Fernand Godbout, mon père, au Macdonald College où il rédigeait un mémoire de maîtrise en phytopathologie. Refusant les offres

des entreprises de produits chimiques qui le sollicitaient, il devint agronome à l'emploi du gouvernement du Québec. Son patron, le ministre de l'Agriculture, Adélard Godbout, était son oncle et son mentor.

Le mariage eut lieu un 6 août et le jeune couple partit en voyage aux Bermudes. De retour au Québec, ma mère n'avait cure des préoccupations agricoles de Fernand, elle était femme d'intérieur, et si par malheur il l'amenait visiter une ferme, elle s'enfermait dans la voiture de fonction, toutes fenêtres fermées. Je tiens d'elle un rejet instinctif des arômes de fumier.

Fille d'hôtelier, Mariette connaissait les règles de l'hygiène mais, entourée dès le jeune âge de nombreux serviteurs, elle n'avait jamais mis les pieds dans une cuisine, encore moins touché à une casserole. Elle accorda donc toute son attention à son premier enfant qui devint rapidement un poupon en santé. Dès les premières neiges de 1934, Mariette m'installa sous des monceaux de couvertures de laine, dans le landau anglais qu'elle laissait sur le balcon par des froids sibériens. C'est un miracle que je ne sois pas mort congelé dans cet habitacle, mon premier véhicule tout-terrain.

Comme à Chicago

La première voiture automobile dont je me souvienne est une Packard 1935 qui appartenait à mon grand-père maternel, Joseph Daoust, mieux connu sous le sobriquet dont l'affublaient les Anglos de Senneterre : « Djodo ». Débonnaire et affable, Djodo avait épousé une minuscule femme, Édith Lalonde, ma grand-mère, qui savait à l'heure du thé entretenir les dames et le soir, sur la grande galerie de l'hôtel Clarendon, distraire les clients en organisant des parties de bridge passionnées.

Entre la direction de l'hôtel l'été et ses voyages exotiques l'hiver, Djodo n'avait pas vraiment le temps de s'occuper de moi. C'est alors que le Destin s'en mêla : le Clarendon prit feu en 1937et fut réduit en cendres. Il ne restait plus sur les berges du lac qu'un squelette de poutres noircies et de pierres éparpillées.

Mon grand-père était sûrement un homme d'affaires actif et industrieux, mais imprudent : il avait négligé d'assurer le bâtiment contre les incendies. Ruiné, il ne lui restait plus qu'à se réfugier avec sa petite moitié chez sa fille unique, ma mère, dans l'appartement que mon père venait de louer pour nous, toujours dans le quartier Côte-des-Neiges, cette fois rue McKenna, au pied d'un versant du mont Royal où, dès mes trois ans, j'apprenais à glisser sans tomber, les pieds sanglés de cuir, sur des skis de bois.

S'il avait perdu son hôtel et tous ses biens, Djodo possédait toujours la Packard qui devint, pour lui et moi, le paradis sur pneumatiques. J'étais le plus riche des enfants de la rue avec un grand-père à domicile pour moi seul. Il m'apprit à rire, m'enseignait des dictons chinois et grecs de son cru et, tous les matins en se levant, saluait l'astre solaire qu'il tutoyait : « Salut, Galarneau ! Tu nous réchauffes aujourd'hui ? »

L'après-midi, nous allions en promenade dans sa magnifique voiture noire aux ailes profilées, semblable à celles des gangsters poursuivis par Eliot Ness à Chicago. Elle sentait bon le cuir et le tabac à pipe et nous menait immanquablement au bord du lac Saint-Louis. Djodo me prenait sur ses genoux, me confiait le volant en bois précieux. Je devenais le chauffeur d'une luxueuse berline, quatre portières, deux strapontins, sept places. J'assumais ma tâche, avec tout le sérieux que peut mettre un garçon de cinq ans, en évitant les ornières, suivant avec attention les courbes de la route. Djodo conservait un pied sur l'accélérateur et l'autre sur le frein sans mot dire. J'appuyais ma tête sur sa poitrine, je goûtais la sécurité affective que mon père, janséniste anxieux, me refusait.

J'ai développé une tendresse infinie pour cet homme à qui je dois d'avoir toujours eu confiance en la vie. Puis nous avons été séparés, mon père ayant accepté la direction d'une coopérative de planteurs de tabac à Joliette. Djodo était resté à Montréal pour fonder une nouvelle entreprise. Six mois plus tard, une fièvre typhoïde le terrassait. Quand je l'ai revu, il tremblait comme une feuille d'automne, c'était quelques jours avant de pleurer devant son cercueil. Je n'allais pas l'oublier.

Trente ans plus tard, la Packard m'a suggéré, dans une métamorphose familière en littérature, d'installer le stand de François Galarneau à l'île Perrot, l'un des circuits qu'enfant j'avais parcourus au volant de sa voiture. Djodo s'est transformé en propriétaire de l'Hôtel Canada et initiateur du jeune héros de *Salut Galarneau!* Ce roman est un hommage au bonheur de vivre que m'a appris un grand-père adoré dans une voiture pleine de complicités.

La Cadillac blanche

Avait-on tenté de se débarrasser de moi comme d'un colis encombrant en m'expédiant en Nouvelle-Angleterre? Ma mère avait épinglé, sur mon blouson neuf, un carton portant le numéro de téléphone de Philippe Lalonde qui m'espérait sur les plages du Massachusetts. Mon père, en me déposant gare Windsor, avait insisté pour que je sois poli avec ma tante et ma cousine Jo-Anne pendant mon séjour à Old Orchard. J'apportais en cadeau, dans ma petite valise, une boîte de chocolats Laura Secord.

Le coupe-vent détonnait avec la culotte courte, découpée dans des *britcheuses* d'hiver, qui n'étaient pas de la première fraîcheur. Mais c'était la guerre, il fallait se serrer la ceinture, acheter le beurre et le sucre avec des coupons, accepter des vêtements rafistolés tant bien que mal. Je me sentais étranger dans le train qui m'amenait aux États-Unis, plein à craquer de familles visiblement à l'aise. Les enfants, habillés de couleurs vives, se lançaient d'un côté à l'autre du wagon d'énormes ballons de plage.

Assis sur une banquette de peluche, je me collais le nez à la fenêtre, étonné de la densité des volutes de fumées noires qui allaient s'écraser dans les marécages ou s'accrochaient aux escarpements des montagnes. Je m'endormais, bercé par le rythme

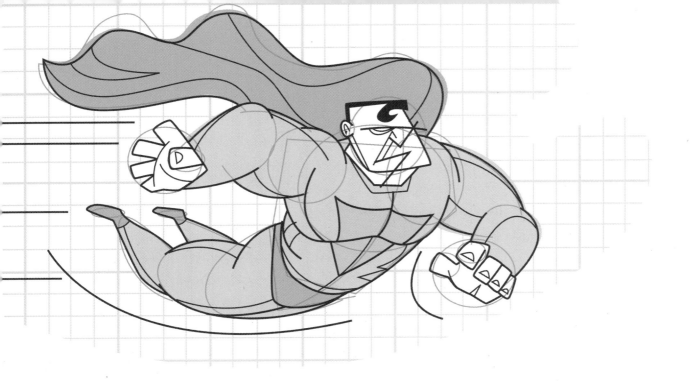

des rails. Pendant mon demi-sommeil, le train avait traversé la petite ville de Lowell où habitaient de lointains parents, des Américains de la famille, avait raconté ma mère, des Canadiens français qui avaient immigré en des temps plus difficiles. Pouvais-je m'imaginer des cousins vivant dans ces maisons en rangées, à l'ombre de grandes usines ? Je ne connaissais pas d'Américains, même si je lisais leurs *comics books.*

Qui étais-je, au fait ? Un garçon de huit ans, seul comme un orphelin dans un train qui empestait le cigare et le parfum. Je répondais en anglais au conducteur qui poinçonnait les billets : « Thank you, sir ! » L'anglais, je l'avais appris dans la rue avant d'avoir l'âge de raison. Tout en grignotant un sandwich, œuf mayonnaise, préparé par ma mère, je me dirigeais vers la mer que je n'avais jamais vue, mais que j'imaginais sillonnée à l'horizon par des corsaires.

Le train ralentissant, je reconnus sans difficulté le grand oncle Phil et Jo-Anne qui attendaient sur le quai de la gare dans des accoutrements de nylon à la mode. Je me suis regardé. Mon faux short et mes chaussettes brunes criaient la misère. M'avait-on invité par pitié ? Les riches s'offraient-ils, le temps des vacances, le luxe de recevoir un enfant défavorisé de la famille, afin de s'alléger la conscience ? Philippe Lalonde portait beau, un sourire fin sous une moustache plus fine encore, il savait ensorceler les gens avec une voix chaude de *speaker* professionnel. Directeur de la première station radiophonique de langue française en Amérique du Nord, Phil fréquentait la faune artistique qui hantait les studios de CKAC où sa fille, petite blonde aujourd'hui dorée par le soleil et l'air marin, jouait parfois du piano.

À peine étais-je descendu du train que Phil m'entraînait vers le stationnement, ma cousine me tenant gentiment par la main. Et soudain, je fus sans mots : on m'invitait à monter dans une Cadillac blanche décapotée, brillant de tous ses chromes, ses larges pneus en arrêt sur l'asphalte noir comme le pétrole. Sur le siège avant en cuir rouge, couleur camion d'incendie, ma tante affichait sa tête ennuyée des grands jours sous une coiffure élaborée comme un gâteau de noce.

Planté devant la calandre, face au radiateur de la voiture, je restais figé par l'émotion, paralysé par la beauté de l'animal. Assis

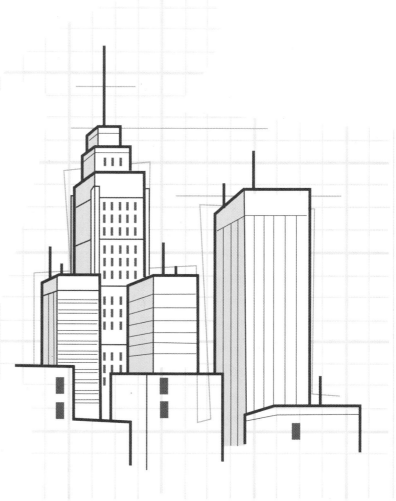

dans la Cadillac en marche, j'épiais avec ravissement le ronronnement d'un moteur aussi puissant que le rugissement d'un lion. La voiture longeait la rue commerciale, glissait entre les haies d'un chemin de pierres pour freiner en douceur derrière un bungalow en cèdre vieilli par le vent. La mer, l'espace et, comme un phare sur la rive : la Cadillac, posée sur le sable chaud.

Ma tante m'entraîna le jour même dans un *outlet,* m'habilla des pieds à la tête en fils de famille. Je n'avais plus honte, j'étais désormais aussi bien attifé que ma cousine. Pourtant je dormais mal, je n'avais pas l'humiliation facile, ne pouvant accepter que qui que ce soit ait pitié de moi.

Aurais-je su troquer cette famille contre la mienne ? À cette époque, le salaire que touchait mon père ne permettait aucun luxe. Philippe Lalonde, lui, avait pignon sur rue dans une banlieue cossue. Avait-il voulu faire plaisir à sa nièce préférée en me recevant en ce mois de juillet ? Étais-je l'otage d'étranges relations d'argent entre les tribus auxquelles appartenaient mes parents ?

Mon père, paradoxalement, m'interdisait d'écouter certaines émissions produites par CKAC justement, *Nazaire et Barnabé,* entre autres, dont la langue le choquait. Je n'osais l'avouer à mon grand-oncle. Ce dernier, de toute façon, m'avait baptisé Jack et m'amenait à la pêche, il avait enfin un fils ! Jack par plaisir imitait l'accent américain, mais au fond Jack, Jim, James ou Jacques, je ne savais plus très bien qui j'étais, debout, les pieds dans le sable chaud des dunes d'où l'on voyait, comme une lueur surnaturelle, briller les enjoliveurs de la Cadillac blanche dans les hautes herbes du bord de mer.

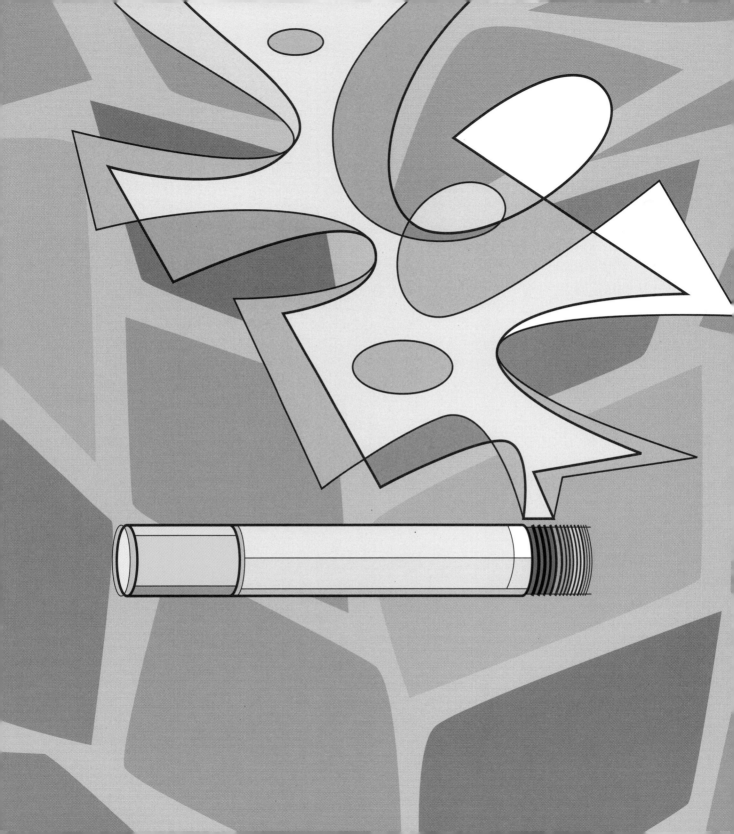

Ma décapotable

En semaine, je suis un rat des villes, mais les samedi et dimanche, je deviens parfois un rat des champs. D'ailleurs, j'accompagne souvent le boss, mon père, qui a engagé un métayer pour cultiver le tabac de Virginie sur une terre qu'il a acquise près de Contrecœur. C'est l'une des quatre fermes à tabac des frères Godbout, situées sur les deux rives du fleuve Saint-Laurent.

Le boss a l'habitude de discuter avec son fermier d'origine belge, les deux hommes manipulent de fragiles feuilles de tabac, nervurées, odoriférantes, se salissant les doigts de goudron. Pour m'amuser, j'attrape les guides d'un percheron dont la taille me dépasse, et je précède le cheval qui tire entre les rangs, sur des patins, un traîneau bordé de jute. Je m'ennuie un peu. Je tourne autour des jeunes attacheuses qui, tout en ficelant des mains de tabac, font des remarques sur le fils du boss, remarques que je ne saisis pas vraiment. Je rougis.

Du haut de mes quatre pieds deux pouces, j'échange trois mots d'anglais avec l'Américain venu des Carolines pour entretenir les feux des séchoirs. Mais ce qui me passionne vraiment, c'est le tracteur de la ferme, énorme, rouge vif, un Massey-Harris, beaucoup trop puissant pour un enfant de neuf ans. Je grimpe sur l'appareil, je ferme les yeux, je mime le bruit d'un moteur et je parcours en pensée les champs de seigle qui parsèment la plantation.

Et puis arrive l'automne suivant, j'ai dix ans, bientôt onze, et le boss me confie enfin la conduite d'un tracteur gris souris ! Je tiens fermement le volant de bakélite noire, il faut éviter que les roues avant s'enlisent dans le sable, ce qui risquerait de me faire dévier des tracés parallèles que je dois suivre à tout prix. L'engin est d'une bonne marque, un Ford, mécanique simple, deux vitesses, accélération contrôlée, appuyée par un étrangleur, ses énormes pneus magnifiquement sculptés pour mordre dans le sol. Sur une photo retrouvée je porte des gants et un chandail rouge à l'effigie du club Canadien. Deux garde-boue me protègent du sable qui gicle à droite comme à gauche.

Mon père, dans son rôle de gentleman-farmer, est assis derrière le tracteur, au ras du sol, avec un copain, chacun sur une selle de la planteuse. J'ouvre un sillon, les deux hommes piquent mécaniquement de petits plants de conifères, de la taille de Lilliputiens — je suis le Gulliver de cette forêt à venir —, les sabots de derrière rechaussent les plants. Nous parcourons ainsi pendant des heures, avec soin, un désert. C'est une lubie du paternel qui n'est jamais en manque de projets.

L'idée est de réhabiliter le sol pour prouver aux cultivateurs québécois, qui n'y croient pas, que l'on peut maîtriser l'érosion. C'est au cours de ses recherches de terres à tabac pour y installer ses trois frères, Roméo, Rolland et Paul, chômeurs depuis le krach de 1929, que Fernand a découvert cette vaste étendue aride, envahie par du sable fin poussé par des vents qui soufflent depuis la rivière L'Assomption. Il va transformer le « poudré » en une forêt de mélèzes et de pins rouges et blancs.

Le ronronnement du moteur est un chant, je fonce, nous disposons de deux fins de semaine, en octobre, pour couvrir le sol de milliers de plants obtenus d'une pépinière située près de Berthier. Je sais que nous allons réussir : perché sur le rebord du siège d'acier, même si mon pied touche à peine les pédales, j'accélère, je ralentis, je freine, je tourne, je repars, je m'arrête. Je bois un café au lait dont ma mère a rempli une bouteille thermos, le soleil est doux derrière les stratus, je suis « en charge », je suis aux anges, la tête au vent comme dans une décapotable.

Le soir venu, nous avons vaincu la nature. Abandonnant avec regret le tracteur, je rentre crevé à Montréal ; je sens que mon père est fier de moi. Même s'il sait que je ne serai jamais cultivateur, il est rassuré, je saurai me conduire dans la vie comme j'ai conduit le Ford. N'ai-je pas brillamment mené son équipage dans le sable fin ? Et n'avons-nous pas ensemble accouché d'une forêt ?

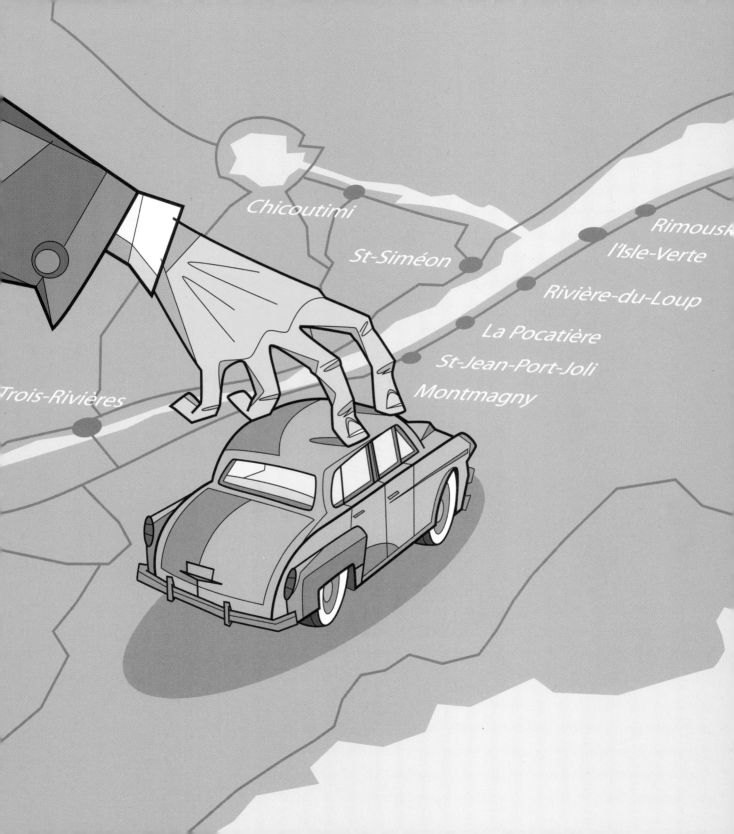

La guerre est terminée

Déjà reconverties pour la paix, les usines de Detroit ne fabriquent plus de chars d'assaut. Mon père, agronome en chef de la région de Montréal, a hérité d'une des premières Dodge d'après-guerre, une nouvelle voiture de fonction de la couleur du ciel. Il projette de s'en servir pour faire le tour du Québec et s'enquérir des méthodes d'éradication des maladies parasitaires qui sévissent aussi bien dans les potagers, les cultures maraîchères que dans les plantations d'arbres.

J'ai douze ans et je vais entreprendre en septembre prochain, chez les Jésuites, la classe d'éléments latins, amorce du cours classique. Entre mon père et moi, le courant ne passe pas vraiment. Ce père est un scientifique, son fils, mais il ne le sait pas, traîne une sensibilité d'artiste. Le plan que mijote mon géniteur pour résoudre ce problème est vieux comme le monde. Il va m'amener en voyage, m'initier à l'histoire du pays, me présenter sa famille étendue, tous les Godbout qui habitent les rives du fleuve, me faire visiter les lieux de son enfance, me raconter ses souvenirs. Cela devrait, croit-il, nous rapprocher.

L'idée du voyage m'inquiète. Je laisse derrière moi ma sœur Louise et mon jeune frère Claude. Vont-ils s'emparer de ma mère ? Accompagner mon père me flatte et m'effraie tout à la fois. Or dès les premiers jours, c'est le coup de foudre ! Je m'éprends d'amour, d'amitié et de respect pour une galerie de personnages dont je ne connaissais rien. Ces femmes et ces hommes, mes cousins, mes cousines, mes oncles et tantes s'intéressent à moi, m'appellent « mon homme », ils manient une langue imagée, portent des surnoms amusants, celui-ci est Leblond-dit-pas-de-fesses, celle-là tante Toudelou, qui n'est d'ailleurs pas toute là.

Je rencontre des éleveurs de moutons, des cultivateurs, un curé, un capitaine au long cours, des ouvriers qui taillent dans les tourbières des blocs de fougères vieilles de dix mille ans, des pêcheurs d'éperlans, un maire, un propriétaire de motel. De Sorel à Montmagny, de Saint-Jean-Port-Joli à Trois-Pistoles à Saint-Éloi, la côte sud n'a plus de secrets pour moi.

Nous traversons la mer un jour de vent, poursuivant sur la rive nord notre périple, nous arrêtant au retour à l'île d'Orléans où Nicolas, le chaloupier français, avait au XVIIe siècle défriché sa terre et construit son premier vaisseau. Un Godbout d'ailleurs cultive toujours la ferme ancestrale, nous en rapportons un pain de savon artisanal. Papa me raconte les drames familiaux, les difficultés des colons, les exactions des Anglais, les rêves

avortés. Il n'est jamais allé en Europe, mais il chante la Normandie. J'apprends ainsi que je fais partie d'une grande aventure. Quand nous rentrons à la maison, ma petite valise contient toute l'origine du monde.

Pourtant ce voyage, qui devait nous rapprocher, nous a laissés distants. Malgré que nous ayons passé vingt jours assis côte à côte dans la Dodge, je ne me sens pas plus près de mon père qu'au moment du départ. Je me demande même si cet homme est bien mon géniteur, mais je n'ose en parler à ma mère, j'aurais peur de la blesser : elle est trop sensible et trop aimante. À qui me confier ? Certainement pas aux soutanes noires qui se cachent derrière les grilles des confessionnaux.

Je me replie sur moi-même. Je prends mes distances avec la famille. Je me sens seul au monde et peut-être suis-je devenu profondément orphelin à la mort de mon grand-père. Pour me consoler, il me reste les fictions que recèle la bibliothèque de Montréal dont les colonnes majestueuses en marbre, face au parc Lafontaine, évoquent un temple grec comme dans les images du *Petit Larousse illustré* que l'on vient de m'offrir en cadeau pour mes douze ans.

L'autobus du boulevard

Comme directeur de la Coopérative des producteurs de tabac jaune, mon père n'avait pas tenu plus de seize mois à Joliette. Trop de conflits l'avaient assailli. Fernand Godbout n'était pas un lutteur. Pris entre les exigences des cultivateurs et les diktats des grandes compagnies, il avait choisi de fuir. Nous revenions au point de départ, mais c'était la guerre et l'afflux des travailleurs dans les usines d'armement avait transformé Montréal en une ville où il était désormais difficile de trouver un appartement. La famille comptait trois enfants, ce qui ne simplifiait pas le problème. Mes parents réussirent à nous loger au dernier étage d'un triplex, au 2131, boulevard Saint-Joseph, dans le Plateau Mont-Royal. Cinq pièces, cuisine, salle de bains.

Le four était au gaz et on nous livrait deux fois la semaine des blocs de glace dans du bran de scie pour la glacière en bois tapissée de tôle. J'étais préposé aux ordures, c'est-à-dire que je descendais les poubelles par l'escalier du hangar arrière infesté de rats. Le marchand de frites passait une fois par semaine, les laitiers et boulangers desservaient le quartier avec des voitures tirées par des chevaux calmes, mangeoire d'avoine en cuir attachée au chanfrein. La vie rurale en ville.

Les triplex en rangées donnaient sur des ruelles, nos aires de jeux préférées quand venait l'été. Revolvers au poing, nous transformions les clôtures en palissades et les cours arrière en bunkers; nos batailles s'inspiraient des actualités de guerre et des films de cowboys présentés dans le sous-sol de l'église Saint-Pierre-Claver où nous assistions à la messe dominicale et parfois aux vêpres. Le curé de la paroisse m'avait choisi au catéchisme pour être l'un des trois pages en costumes de velours qui accompagnaient le chevalier du Saint-Sépulcre lors des fêtes religieuses. Je crois que ce rôle en jabot dans la dramaturgie liturgique a créé une première faille dans ma foi enfantine: le chevalier coiffé d'un tricorne noir était un alcoolique pompeux qui nous menaçait de son épée pour nous faire marcher droit.

J'habitais tout en face de l'école primaire dirigée par les
Frères de l'Instruction chrétienne. Dès la rentrée, je me
suis retrouvé, en classe, assis à côté de Robert Bourassa
qui est vite devenu mon meilleur ami; sa jeune
sœur était la plus jolie fillette du quartier.
Le frère Amédée nous enseignait toutes les
matières, dont l'anglais qu'il parlait
si mal que mon camarade mettra

des années à en maîtriser l'accent. L'école des Frères était de qualité douteuse, on y puisait un minimum de connaissances en français, en arithmétique ou en géographie et un maximum de notions historico-religieuses sur l'Asie mineure et le Canada. Trois grands fleuves baignaient notre imaginaire, l'Euphrate, le Jourdain et le Saint-Laurent.

À cette époque, le boulevard portait vraiment son nom, séparé en son milieu par des fleurs et une pelouse. Si des tramways desservaient la majorité des grandes rues de la métropole, des autobus assuraient la navette est-ouest de Saint-Joseph jusqu'aux trams modernes de la ligne 129 qui traversaient Outremont où la bourgeoisie canadienne-française s'offrait de l'altitude.

Les autobus du boulevard ont joué un rôle important dans ma vie de garçonnet. Nous les empruntions pour aller musarder dans les bois de la montagne, main dans la main avec nos blondes ; nous les utilisions pour atteindre, l'hiver, les pentes de ski, mais ils furent surtout pendant des années notre unique système de transport en commun vers le collège des Jésuites, chemin de la Côte-Sainte-Catherine, où Robert et moi suivions le long curriculum des humanités classiques.

Robert dit Bobby (à l'époque on se nommait Dick, Johnny ou Pete) était un fort en thèmes. Assis au fond du bus, il étudiait ; il prenait de l'avance sur le programme ou nous lançait des questions de mémoire en sport et en politique. J'étais un fort en versions. Curieux de tout, je m'amusais plutôt à écouter discourir les passagers qui nous entouraient, ce qui m'obligeait à étudier tard le soir à la maison dans la salle à manger qui me servait aussi de chambre à coucher. J'y roulais un lit pliant, m'endormant avec en arrière-plan la radio du salon. Je crois que je me suis fait l'oreille à l'anglais de cette façon, ma mère étant une habituée des émissions américaines.

Il est de notoriété publique que c'est à l'angle du boulevard Saint-Joseph et de l'avenue De Lorimier qu'en descendant de l'autobus Robert Bourassa m'a annoncé qu'il deviendrait un jour premier ministre. Il accompagnait son père aux meetings politiques, il avait distribué de porte en porte des dépliants de propagande pour le Parti libéral. Il vengerait un jour la défaite de Godbout aux mains de Duplessis, affirmait-il de toute la force de ses douze ans. Nous avions le même âge. Je désirais écrire dans les journaux, lui avais-je répondu, mon père était abonné au *Canada,* le quotidien du Parti libéral dans lequel on trouvait même de petits poèmes. Nous venions de choisir nos vocations et n'en dérogerions pas.

J'ai cessé d'emprunter les autobus du boulevard Saint-Joseph quand ma famille est revenue habiter le quartier de ma petite enfance. Mon père y avait fait bâtir maison rue Tremblay (aujourd'hui Jean-Brillant), les espaces verts de la Côte-des-Neiges lui manquaient terriblement. Il prenait grand plaisir à nourrir les faisans qui descendaient de la montagne. Souvent, il se réjouissait d'avoir persuadé les parents de Robert de l'inscrire comme moi au collège des Jésuites. Nous avions tous deux tiré profit de son culte de l'éducation.

Aujourd'hui, des autobus sillonnent toujours le boulevard, mais les terre-pleins ont été rétrécis et cimentés. Il n'y a plus de tramways électriques dans les rues de Montréal, ils étaient pourtant écologiques. L'histoire de leur disparition, une saga politico-religieuse, reste à raconter. Nous nous sommes retrouvés, Robert et moi, dans nos vies d'adultes, à Outremont. Il habitait une grande demeure dans la partie haute, j'avais acquis une maison plus modeste du côté des voies ferrées.

Pour ce qui est des autobus, mon camarade en avait peut-être gardé un souvenir si heureux qu'il n'a jamais pris la peine d'apprendre à conduire une automobile. Comme pendant ses années sur le boulevard, il a continué à étudier des dossiers, parler au téléphone, lire les journaux, assis à l'arrière d'une voiture, profitant de ce qu'un chauffeur le conduisait au parlement.

Montréal-Mexico

Ou bien nous étions naïfs, ou l'Amérique n'était pas encore violente. L'idée nous était venue de traverser les États-Unis en auto-stop : quatre garçons de seize et dix-sept ans, déguisés en routards, avec un foulard bicolore au cou. Guy et Claude devant, Rolland et moi suivions. New York, Washington, la Caroline. Nous avions dans nos bagages les adresses des collèges des pères jésuites situés sur le chemin, pour le reste de petites tentes dans nos sacs à dos. Le pouce en l'air, le sourire avenant, nous n'attendions pas très longtemps, hop, une Chevrolet, un camion Ford ou une Chrysler, l'un faisait la conversation, l'autre s'endormait sur le siège arrière. Nous dévorions les autoroutes.

Combien de voitures de Montréal à Jacksonville ? Quatre ou cinq par jour, toutes américaines, évidemment, des chauffeurs sympas, intéressés par nos origines, notre accent, notre but : Mexico. La nuit, personne ne s'arrêtait, nous dormions dans les champs de maïs ou de melons au bord des routes. Le melon fait un bon oreiller. Nous nous donnions des rendez-vous, tous les deux jours, nous nous retrouvions tous les quatre pour visiter les musées ou pour flâner une journée à la plage. Aucun coup dur, aucun accident, les États défilaient comme à la parade, les chauffeurs nous offraient parfois le restaurant, et quand nous tombions sur une famille, elle nous payait souvent un *ice-cream cone* de rêve. L'Amérique profonde et généreuse.

Quand, après un détour par Miami, nous sommes arrivés à Tampa, tout en haut de la Floride, nous avons cherché dans le port un bateau pour traverser le golfe du Mexique. C'est bien l'auto-stop, mais fastidieux à la longue. Le capitaine d'un bananier, qui venait de vider sa cargaison, retournait de l'autre côté. Il offrait de nous déposer à Coatzalcoalcos, dans le sud du Mexique. Nous avons dormi sur le pont, car à vrai dire les serpents dans la cale nous effrayaient. « Ils voyagent dans les tresses de bananes », nous avait-on prévenus. L'acier d'un navire est le matelas le plus dur du monde.

En vingt heures, nous étions au Mexique, immédiatement enfermés par des douaniers zélés avec les prisonniers de droit commun. Difficile d'expliquer en espagnol que nous n'étions pas des révolutionnaires, mais des étudiants canadiens qui désiraient se rendre à Mexico où les attendait un confrère de classe. Nous commencions à désespérer, les chiottes étaient infectes, nous mourions de faim. C'est un Américain de passage qui, nous entendant crier en anglais, nous servit de traducteur et paya l'amende réclamée par le chef de police. Corruption de fonctionnaire?

À moins d'aller à dos d'âne jusqu'à Veracruz, nous expliqua l'Américain, il fallait emprunter le tortillard, protégé par des hommes en armes à cause des nombreuses troupes de *banditos* dans la région. Le train de douze wagons avançait au petit trot, ce qui permettait de nous approvisionner de fruits, cocas et biscuits par la fenêtre ouverte, auprès de marchandes qui suivaient la voie, plateaux sur la tête.

Veracruz était un bonheur dans la lumière. Je découvrais les cactus, la poussière, la sécheresse, des indigènes attachants dans leurs décors floraux. Nous buvions des

bières fraîches, fumions nos premières cigarettes. De Veracruz à Mexico, en autobus, avec un chauffard comptant sur les freins et la Vierge pour éviter les précipices, nous avons percuté deux filles dans la nuit d'un village. « Des prostituées, expliquait le conducteur sans remords, elles n'avaient qu'à faire le trottoir plutôt que la rue ! » Pendant ce temps, un filou, avec une lame de rasoir, s'emparait de la ceinture, pourtant collée à ma peau, que ma mère avait cousue avec dévotion pour mettre mes quelques billets de banque à l'abri.

Mexico ? Une cacophonie délirante, un délice, un premier strip-tease dans une boîte de nuit, du jus de citron sur l'envers du poignet, de la tequila dans de petits gobelets, les jardins flottants, les pyramides aztèques, Diego Rivera, le musée d'anthropologie. J'ai seize ans, je découvre le Tiers Monde, je viens de traverser en auto le Premier Monde. Ces paysages et personnages referont surface dans mes

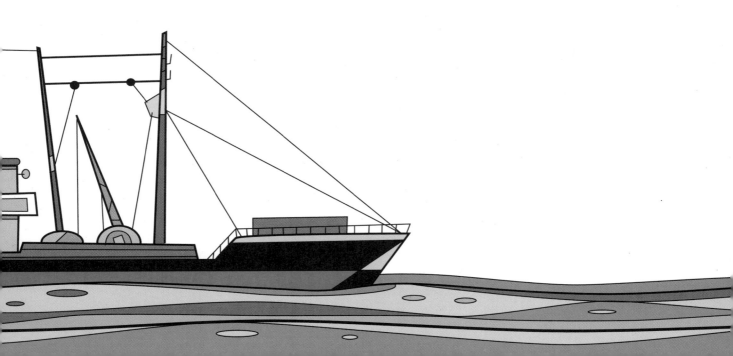

premiers romans, mais je l'ignore évidemment. Je ne sais pas même ce que je ferai dans la vie.

Retour pouce au vent, direction La Nouvelle-Orléans, puis Chicago, Detroit, Toronto, Montréal, sans bavures, grâce à toutes ces automobiles américaines qui s'arrêtaient sur le bord de la route. Il suffisait de lever le bras. Nous avions découvert le gigantisme du continent, nous marchions dans les pas de nos ancêtres les voyageurs, mais sans mérite en vérité, sans portage, sans douleurs, sans combats, tout en douceur, sur quatre pneus avec amortisseurs.

Les douaniers canadiens ne pouvaient savoir que je revenais ce jour-là avec de la poussière d'autoroute dans le sang, des scintillements de néon dans le cerveau, des forêts d'euphorbes dans les yeux. Je ne voyais plus les frontières de la même manière. Je ne pensais qu'à repartir.

Le général Motor

Je me suis défendu comme je pouvais :

« Je vous jure, colonel, que je n'y suis pour rien. C'était involontaire ! Le camion a dérapé, les pédales sont mal fichues dans ces véhicules, vous le direz au général Motor, elles sont à la hauteur des genoux, et les aiguilles des indicateurs étaient toutes à plat. Je ne savais pas à quelle vitesse nous dévalions la pente. Je pense que le vrai problème, c'est le poids du canon accroché derrière. Et je sais ce dont je parle : à trois hommes on ne pouvait même pas le dégager. Avec vingt boîtes de munitions dans la caisse, des obus de vingt-cinq livres, vous avez une idée de la poussée que nous recevions au cul ?

— Surveillez vos paroles, lieutenant !

— Détendez-vous, mon colonel ! J'ai lu dans le journal que même la Corée souhaitait une détente ! Bon, je vais vous dire, je suis au volant pour ma *première* leçon de conduite pendant un exercice de nuit, on aurait pu m'apprendre en plein jour, mais à la guerre comme à la guerre, n'est-ce pas ? Le camarade lieutenant Pierre Bourgault est à mes côtés. Bourgault, il est pas reposant !

— C'est avec lui que vous avez voulu publier en français une gazette de l'Artillerie canadienne ?

— Oui, c'était notre idée, franciser l'armée ! Mais il ne fait pas que de la politique, il est aussi musicien, il joue du piano au mess le vendredi soir, du jazz.

— Revenons à votre accident.

— Le lieutenant Bourgault est énervé, il chante à tue-tête, il me donne des ordres : "Godbout à droite ! Allume les phares ! Godbout à gauche !" Les phares ne s'allument pas, d'autant plus que je ne trouve pas la manette. Il tient la carte militaire sur ses genoux. Il est censé nous diriger, mais il tambourine sans regarder le parcours. Il s'amuse ! La pluie se met à tomber, les essuie-glaces ne fonctionnent que manuellement, je ne peux tout de même pas tenir le volant et essuyer le pare-brise simultanément !

« Bientôt il fait noir comme chez le loup, et puis voilà que l'ennemi fait sauter des grenades tout autour de nous en lançant dans le ciel des fusées éclairantes. Alors Bourgault me lance en riant : "WOW ! On est perdus mon petit vieux !"

« Je répète : "Perdus ?" Il dit : "On s'en sacre, tout le matériel appartient à la Reine. Mets-toi en première !" C'est plus facile à dire qu'à faire mon colonel, je vous en passe un papier !

« Bourgault me crie : "Double clutch ! Godbout ! Christ ! Double clutch !" Il crie en anglais ! C'est à ce moment-là précisément que la roue avant gauche frappe une pierre grosse comme une truie, j'écrase l'accélérateur plutôt que les freins, je suis nerveux, il faut m'excuser. Le canon se décroche et nous dépasse, il arrive avant nous dans

le ravin, se retourne brusquement et du coup emboutit la cabine ! Nous nous sommes retrouvés entre ciel et terre, mon colonel.

— Inutile de vous dire, lieutenant, que vous n'obtiendrez pas votre permis de conduire de l'armée après ce fiasco. Je vous colle zéro pour l'exercice de nuit. Vous savez que le lieutenant Bourgault est à la clinique avec un genou fêlé ? Quant à vous, vous êtes retenu au camp cette fin de semaine, consigné aux quartiers. Voilà ! Rompez !

— Merci, mon colonel, j'avais du lavage en retard, et puis autant vous dire, je ne serai pas camionneur dans la vie !

— Godbout, j'en ai assez de vous entendre persifler. Vous vous pensez plus fin que tout le monde ? Vous devrez apprendre à respecter vos supérieurs !

— Que dans la hiérarchie militaire, mon colonel.

— Qu'est-ce que cela veut dire ?

— Il n'y a pas de supérieur et d'inférieur dans la vie civile. Il n'y a que compétence ou incompétence. Je vous laisse juge, mon colonel.

— Vous êtes en uniforme, lieutenant, et vous n'êtes même pas fichu de conduire un camion. À votre place je fermerais ma gueule !

— Oui, mon colonel. Merci, mon colonel. Vous n'oublierez pas de parler au général Motor pour les pédales ?

— Fichez le camp ! »

Je m'empresse de claquer des talons, la main sur la visière de ma casquette, saluant le colonel je fais demi-tour d'un seul mouvement rotatoire élégant, comme appris à la parade, en me disant que l'école militaire est parfois une dure école de conduite.

Permis de rêver

Je quittais le camp Shilo, au Manitoba, après trois mois d'entraînement dans les rangs de l'artillerie canadienne. On nous avait appris à marcher au pas, à faire des calculs de balistique, cette étonnante science qui étudie les mouvements des corps lancés dans l'espace et plus spécialement ceux des projectiles. Nous avions tiré du canon, dormi à la belle étoile, appris à transformer nos casques en bols pour y casser des œufs, accepté de ne pas nous laver cinq jours d'affilée, obéi à des ordres ridicules, dont claquer des talons en entrant au mess des officiers et ne jamais laisser la carafe de vin toucher la nappe pendant les dîners d'apparat, ni aborder les trois sujets tabous du régiment : les femmes, l'argent et la politique.

Je savais désormais coudre un bouton, plier des draps et faire mon lit de manière impeccable, épousseter jusqu'aux cadres de portes, boire du rye avec des rondelles de citron, chanter des grivoiseries en anglais et mépriser l'autorité sous toutes ses formes.

J'aurais dû rentrer chez moi, mais je désirais par-dessus tout rejoindre une jeune femme, rencontrée au printemps dans le train de Montréal à Winnipeg. Elle était partie travailler dans l'ouest du pays où elle avait promis de m'attendre. Cette jeune personne, ai-je vite découvert en arrivant sur place, avait un emploi, comme elle l'avait

dit, au grand hôtel du lac Louise, au pied des Rocheuses, mais elle ne m'avait pas attendu pour être heureuse.

Que faire? Je n'avais pas un cent en poche. Une affichette dans un snack du village demandait des chauffeurs pour une production cinématographique, il fallait un permis de conduire albertain. Je n'avais même pas celui de l'armée.

Je me suis néanmoins présenté, je ne doutais de rien à l'époque, j'ai rempli deux fiches, répondu à un questionnaire et l'on m'a immédiatement placé au volant d'une Buick vert bouteille aux vitres teintées. Une blonde vaporeuse était assise sur la banquette arrière, elle devait se rendre à toute vitesse au maquillage, m'a-t-on dit, fouette cocher, vous nous apporterez votre permis demain! C'était dans la poche! Donnaient-ils des pourboires?

J'ai salué la dame, mis le contact, placé le pied sur l'accélérateur, le moteur a ronronné, mais la voiture n'a pas bougé, j'ai écrasé le champignon, la mécanique de la Buick rugissait dans le vide. Je voyais bien devant mes yeux (P)(N)(D)(R), mais que signifiaient ces quatre lettres? Personne ne m'avait expliqué le système d'embrayage automatique d'une grande américaine! Le régisseur en colère m'a alors tiré par le col de chemise, me bousculant pour prendre ma place, me jetant sur le trottoir comme un vilain sac d'os.

Pendant qu'il se précipitait pour reconduire la vedette à son plateau de tournage, je me suis dit, contemplant la voiture qui s'élançait vers les montagnes: «Adieu Marilyn! Le destin nous avait réunis, mais dans ce pays de merde, pour être heureux, il faut visiblement un permis!»

Le gibet

Nous avions pourtant passé huit belles années ensemble, arpentant à loisir les corridors du collège aux carreaux cirés, tentant d'éviter le préfet de discipline, échangeant nos notes de cours, ânonnant du grec classique. Nous avions partagé des bonheurs en jouant sur le préau de la cour des petits, en accédant à la patinoire des grands, en chahutant le professeur de chimie. Je croyais que nous étions des amis et pourtant ils ont forcé la porte de la maison, m'ont saisi, passé des menottes aux poignets, glissé une corde rêche au cou. Ils m'ont tiré dehors où m'attendaient d'autres camarades qui se sont mis à me huer cependant que les plus costauds me faisaient monter dans la boîte d'un pick-up pour m'attacher à un gibet noir. J'avais été kidnappé. J'étais prisonnier.

La camionnette s'ébranlait, suivie de cinq voitures bondées dont les chauffeurs hilares abusaient du klaxon et, toutes fenêtres baissées, me criaient des injures. Ils s'amusaient bien. Le défilé passait devant le collège Jean-de-Brébeuf, c'était il y avait douze mois à peine notre *alma mater,* puis le convoi s'engageait chemin de la Côte-Sainte-Catherine vers l'est. Nous roulions avec une lenteur appuyée, la mise à mort symbolique du célibataire devait être visible et bruyante. Assis sur une caisse de bois, incapable de

bouger sans risquer de m'étouffer, je riais jaune, le vent du soir était frais, je tremblais un peu dans ma chemisette. Mes collègues étaient bruyants comme des adolescents. Un des zigotos s'était muni d'une sirène de bateau qui menait un bruit de tous les diables. Le pick-up était décoré de ballons et d'affiches collées aux parois, que je ne pouvais lire, mais dont je soupçonnais que le texte n'était pas à mon avantage. Les petits copains interpellaient les passants que nous croisions, ceux-ci leur répondaient en riant et en me sifflant. Je me sentais seul au monde.

Un an auparavant nous étions à la Villa Saint-Martin, en récollection, préparant la prise des rubans. Les jésuites nous avaient soumis au grand jeu, chacun avait été affublé d'un « ange », un jeune séminariste devant aider à choisir la *bonne* vocation. Dès le premier jour, Bourassa, un garçon ordinairement obéissant et discret, s'était laissé aller à subtiliser le pendule de l'horloge pour gagner une heure de sommeil. Nous étions au coude à coude, solidaires. Les sermons sur les dangers de la chair, le goût du sacrifice, l'appel de Dieu n'avaient pas été très efficaces. Nous avions bien résisté, les uns et les autres, déclarant notre intérêt plutôt pour le droit, la médecine, le génie ou les études commerciales. Puis, nous nous étions inscrits à l'université. J'avais rencontré en lettres une étudiante que j'allais épouser ; ils étaient jaloux, c'était évident. Or parmi les kidnappeurs, je reconnaissais sous leurs cagoules mes compagnons d'auto-stop ! Nous avions parcouru ensemble l'Amérique ! N'avaient-ils aucun souvenir, aucune pitié ? Cela aurait dû tisser des liens ! Et la maxime de notre conventum, « Fraternité », qu'en faisaient-ils ?

Le défilé s'était arrêté avenue Outremont chez Gilles Constantineau, un poète, un autre ami, mais l'amitié, semblait-il, ne tenait plus les soirs d'enterrement de vie de garçon. Le président du conventum, Guy Saint-Germain, me faisait descendre du pick-up, on m'enlevait la corde du pendu et me traînait dans la cuisine où il ordonnait de me menotter au radiateur. Je ne pouvais plus leur échapper. Pendant que, comme des bêtes, ils se mettaient à boire bière sur bière, qu'ils gueulaient des insanités, criaient des grossièretés, ils me forçaient à boire d'un entonnoir des quantités exagérées d'un vin douteux. Je m'étouffais, forcément, je m'agitais, on m'arrachait la chemise, l'un des tortionnaires me badigeonnait de mélasse, c'était le délire, ils avaient apporté des oreillers qu'ils crevaient à coups de couteau et dont ils me vidaient les plumes sur la tête en chantant « Frère Jacques, Frère Jacques, bandez-vous, bandez-vous ? »

Ils disposaient d'un extraordinaire répertoire de chansons à boire, hérité sans doute des armées du roi de France. Au petit matin, l'un des rares survivants qui n'était pas encore épuisé ni endormi, compatissant soudain, me tendit la clef des menottes. Je me suis libéré et, soûl comme un soldat en permission, me traînant jusqu'à la plate-forme de la camionnette garée devant l'entrée, je m'y suis affalé. Le soleil se levait, les oiseaux piaillaient, des tramways passaient en silence. Fermant les yeux, je pouvais enfin vomir : mes confrères s'étaient vengés parce que j'avais, le premier, brisé le cercle vertueux du célibat.

Les funérailles de ma vie de garçon avaient été parfaitement réussies. Il n'y aurait plus jamais pareille cérémonie. Chacun s'en irait désormais où menait la vie. Mais ce que mes amis ignoraient, c'est que mon père, suivant la loi, avait dû contresigner l'acte de mariage chez le notaire ! J'étais mineur, je n'avais pas encore vingt-et-un ans. *Ils avaient kidnappé un mineur !* Mais je n'allais pas les poursuivre ; c'était cela l'amitié.

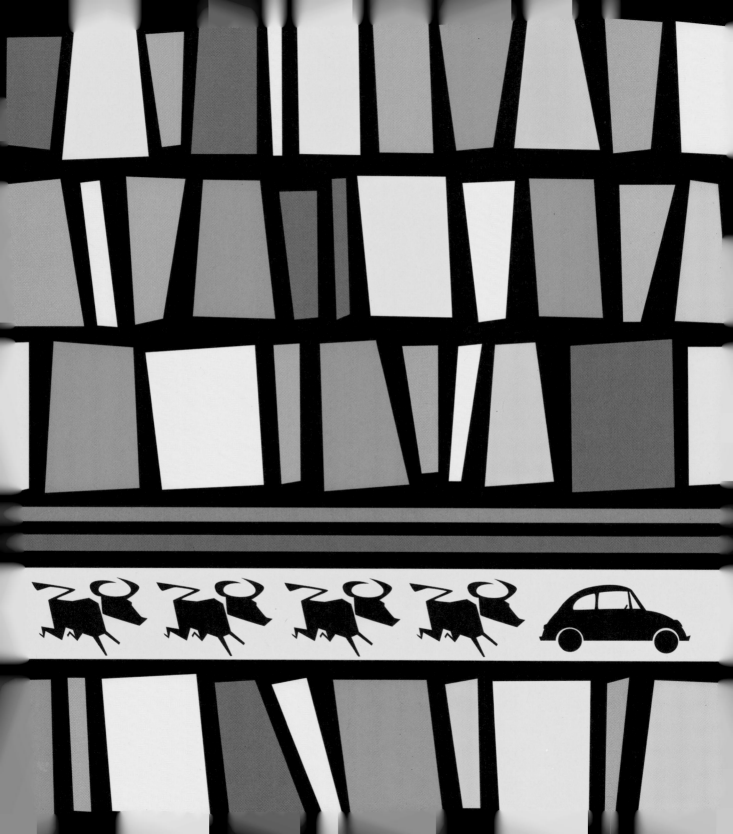

La belle Coccinelle

Ma véritable première voiture fut une superbe Coccinelle bleu acier avec, à l'arrière, un hublot ovale à peine plus grand qu'un plat de service. Deux petits bras mécaniques encastrés permettaient d'annoncer les virages. Sous le capot : des outils dans une gaine de cuir, un pneu de rechange, un espace de rangement. Le tissu des banquettes aurait pu habiller un canapé suédois. Évidemment, je dois l'avouer, je ne savais toujours pas conduire. Je suis donc resté, la première semaine, en première vitesse, incapable même de reculer, me stationnant toujours en position de départ jusqu'à ce qu'un ami m'apprenne comment glisser la mécanique dans d'autres rapports, tout en accélérant, le pied sur l'embrayage.

Je m'étais procuré en fraude, par la poste, un permis de conduire international, l'armée ni mon père ne m'ayant offert de véritables leçons de conduite. Les autorités éthiopiennes n'y avaient vu que du feu. Achetée neuve deux mille cinq cents thalers, en monnaie du Royaume de Judas (un emprunt sur mon salaire à venir de professeur de philosophie au University College of Addis Ababa), la Coccinelle nous était nécessaire pour faire les courses en ville et au *mercato* d'où nous revenions chaque samedi avec un plein panier de légumes, d'œufs et de fruits dont nous avions négocié le prix comme des marchands de tapis.

Je n'ai pas enseigné très longtemps la philosophie, dois-je avouer, coincé entre les exigences des missionnaires jésuites, qui avaient l'oreille du ministre de l'Éducation, et mes élèves musulmans qui croyaient toujours la terre plate. On me confiait en échange des cours de français, grave erreur, car si ma femme était une excellente pédagogue, je ne rêvais que de chasses, de peinture et de littérature.

Nous avions traversé l'Atlantique à bord de l'*Homéric,* navire de vingt mille tonneaux, et mis six semaines à parcourir l'Europe du Havre au pays du Négus, en passant par Paris, Montreux, Rome, Venise, Naples, Capri, Athènes, Le Caire. Les monuments et cathédrales, les musées et les esplanades m'avaient ébloui, mais rien ne pouvait m'impressionner autant que la voiture du peuple, conçue à Berlin, dont je prenais possession. Pour lui donner encore plus fière allure, j'avais peint en blanc les flancs des pneus hélas immanquablement maculés dès que l'on quittait les rues pavées. Chaque semaine, je devais leur redonner un coup de pinceau. Il y a de ces choses qu'il est préférable de ne pas amorcer.

J'aimais cette voiture comme on chérit toute première propriété, d'autant plus que nous étions logés dans une toucoule, maisonnette de terre battue au toit de tôle ondulée, qui n'avait rien d'une villa de banlieue. Devant la galerie, sur la route pierreuse, la Coccinelle était toute ma richesse et mon orgueil. J'étais un grand enfant, j'avais vingt ans.

Quand arriva notre première saison des pluies, et que j'eus la certitude d'habiter un aquarium, la Coccinelle nous évita la dépression, nous permettant de rendre visite aux amis avec lesquels nous passions la soirée à boire du scotch et à médire des confrères. Parfois, nous allions au seul cinéma de la ville, tout à côté du King George Café, voir des films américains, confiant la voiture en stationnement à un *zibagna,* le plus souvent un voleur auquel la justice avait coupé les mains et qui s'était recyclé en gardien de service.

Si le soir notre fils refusait de s'endormir, ce qui lui arrivait souvent, il suffisait de le coucher avec son toutou favori sur la banquette arrière de la Coccinelle. Une petite virée autour de la cage aux lions du *Ghebi* impérial ou dans les collines toutes proches, couvertes d'eucalyptus odoriférants, et le ronron rassurant du moteur le propulsait au pays des rêves.

On croisait des dizaines de Coccinelles dans les côtes de la capitale du Roi des Rois, mais la mienne, avec son antenne de radio décorative (offerte en promotion, je n'avais pu me payer le poste), était la plus pimpante, la plus vive, la plus courageuse. Elle m'accompagnait à la chasse dans les plaines qui s'étendaient de l'Éthiopie vers le Kenya, elle tenait le coup autant qu'une Jeep ou une Land Rover quand, fusil à la main, nous explorions les fossés à la recherche de phacochères ou sillon- nions les territoires de hautes herbes où se cachaient les antilopes. J'ai même croisé, j'en étais intimement persuadé, les pistes qu'Arthur Rimbaud (auquel j'avais consacré mon mémoire de maîtrise) avait suivies avec ses chameaux en se rendant chez l'empereur Ménélik.

Le système génial de refroidissement du moteur, la traction arrière, tout cela en faisait une voiture capable d'affronter le désert et la brousse, jusqu'à sa structure montée sur une plaque d'acier qui résista quand je me suis retrouvé, un matin, fuyant des hippopo- tames, sur une croûte de glaise au-dessus de sables mouvants. Tout autre véhicule se serait enfoncé et aurait disparu, la Coccinelle, pressée de faire marche arrière, retrouva le sol ferme en un sursaut brusque. Je lui devais la vie.

TTX sur catalogue

Perdu sur les hauts plateaux de l'Abyssinie, assoiffé de civilisation occidentale, après avoir lu tous les romans de la Série Noire pour me rappeler l'Amérique, ayant sifflé les chansons de Prévert et Kosma pour noyer les appels du muezzin de la mosquée d'en face, récipiendaire d'une bourse d'études, avec en poche un recueil de poèmes publié à Paris, j'entreprenais d'emballer avec soin trois années de souvenirs dans des caisses de bois faites sur mesure.

Je m'étais mis dans la tête d'aller chercher un doctorat en lettres à la Sorbonne. À l'époque, c'était le nec plus ultra pour qui voulait un diplôme. Je n'avais passé que quelques jours dans la Ville Lumière lors de notre voyage de noces, mais je m'imaginais déjà reçu comme un prince par l'université, me proposant de rédiger une thèse sur «les causes du décalage thématique entre les romans des littératures canadienne et française, de 1900 à 1950». Le décalage se comptait en dizaines d'années je sais, mais ma génération allait y remédier, j'en étais persuadé.

L'ambassade de France à Addis-Abeba distribuait des dépliants de toutes sortes, dont une publicité pour l'achat de voitures neuves hors taxe (TTX), automatiquement reprises par le constructeur. Avec la bourse et les économies de trois ans, je me disais que c'était là l'occasion rêvée d'accéder à une plus grosse cylindrée. Cédant avec tristesse ma Coccinelle à un nouveau propriétaire, j'ai donc choisi pour me consoler, d'après photo sur catalogue, une Simca « Grand Large ». L'appellation était séduisante, le produit élégant, deux tons, deux portières, sans montant latéral, tout à fait « moderne ». J'ai commandé mon joujou. Me sentant l'âme d'un artiste, j'allais de même manière, sur photo, louer un studio de peintre avec d'immenses verrières, situé impasse de Malakoff, dans le 16e arrondissement. J'étais, en somme, aveuglé par les cartes postales mythiques des bords de Seine.

Le voyage à trois (Fiston, Madame et Monsieur) était en soi une aventure, deux jours de train de la capitale éthiopienne à Djibouti, ville fournaise des bords de la mer Rouge. Il faisait si chaud et sec dans la chambre de l'hôtel, au mobilier plus que restreint, que l'eau de la douche s'évaporait avant même de toucher les corps. Le *Jean Laborde* est venu nous chercher à quai avec trois jours de retard, c'était le premier navire à traverser le canal de Suez qu'encombraient les carcasses des bateaux coulés pendant la guerre contre l'Égypte. Ces messieurs les Anglais et les Français, dépités de la nationalisation de leurs travaux de génie, avaient en désespoir de cause cédé la place à des pilotes indigènes.

Autant la mer Rouge avait soufflé le chaud et le sable, autant la Méditerranée était parcourue d'agréables zéphyrs. Le navire, avec ses coloniaux en goguette, croisait au large de l'Italie se dirigeant vers Marseille où, cinq jours plus tard, un taxi déposait ma petite famille, ahurie par le bruit de la cité, à la gare de la SNCF.

La Simca m'attendait, mais Paris n'espérait pas le poète que j'étais.

Le studio de peintre coûtait la peau des fesses, les verrières sans stores nous éblouissaient de lumière dès l'aurore et faire le tour de l'Arc de Triomphe en Simca était plus risqué que de chasser le léopard la nuit sur les rives de la rivière Awash. Personne ne m'avait expliqué que vouloir garer ma superbe « Grand Large » sur les Champs-Élysées ou devant les Deux Magots tenait du délire. Je devais représenter, dans ma pimpante voiture, l'incarnation caricaturale du petit bourgeois. Il ne me manquait qu'un caniche pour faire bonne mesure. Je m'étais trompé d'époque, de culture, de code, de lieu, d'adresse, il valait mieux tout oublier et fuir.

La difficulté n'était pas tant de rendre la « Grand Large » au concessionnaire que d'annuler sans pénalité le contrat de location du studio. Le propriétaire, un industriel fabricant de parfums, me pria en échange d'apporter en Amérique, dans mes bagages, trente échantillons de concentrés aromatiques à proposer aux boutiques que je visiterais. J'ai accepté sans rougir, n'avais-je pas, comme référence, Arthur Rimbaud qui, au Harar, avait troqué la poésie contre des armes ?

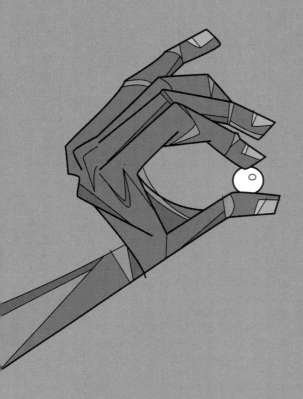

La Perle des Antilles

Même en novembre on étouffait sur les quais de Port-au-Prince dans la lumière blanche d'un soleil brûlant. Le paquebot accostait prudemment, nous cherchions des yeux dans la foule un visage familier. J'ai vu mon beau-père agiter son chapeau, il se tenait, avec les frères et la sœur de ma femme, devant l'édifice des douanes. L'homme était un personnage extraordinaire, commerçant au long cours, il importait de la morue depuis Saint-Jean, Terre-Neuve, de la bière de Munich et d'innombrables produits fins des États-Unis. Nous avions en commun l'amour des mots et la haine des curés. Il se révélait un littéraire, produit des humanités classiques, comme il s'en trouvait à l'époque dans cette île où il faisait encore bon vivre.

Nous étions choyés, nous étions fêtés, nous étions logés et passions de grands moments à la mer ou au bord de piscines privées, à l'ombre des palmiers et bananiers. Mon beau-frère possédait une Sunbeam Rapier, étrange petite voiture avec injection d'essence sur commande électrique, qui dévorait même les routes à demi asphaltées des mornes et vous transformait en pilote de course au seul toucher d'une manette. Je souhaitais l'emprunter pour visiter les galeries de peinture de la région dont certains tableaux magiques me subjuguaient.

Malheureusement, mon permis de conduire « international » n'avait pas impressionné favorablement les fonctionnaires de Port-au-Prince qui refusaient de l'avaliser. C'était comme si j'étais revenu à la case départ en Alberta chez les producteurs de cinéma ! Comment résoudre le problème ? Par la convivialité, bien sûr. En buvant des whiskys tout l'après-midi avec le chef de la police dans un restaurant du centre-ville, j'obtenais un permis de circuler en voiture automobile dès le lendemain.

Nous allions en profiter, passant des studios de peintres à la visite des lieux d'enfance de ma femme, dont la vaste maison de style *gingerbread* de sa grand-mère à Turgeau. Après avoir exploré les jardins de Pétionville, nous nous rendions, dans le brouillard, sous les pins de la Boule et de Kenskoff d'où l'on dominait la baie. La Sunbeam roulait comme un charme. En bas, tout au loin, sur les bords de mer, des bidonvilles macéraient dans des égouts à ciel ouvert. Sous les dictatures qui s'étaient enchaînées depuis l'Indépendance, souvent plus corrompues que cruelles, les Haïtiens, joyeux et pacifiques, survivaient dans une misère atténuée par les rayons du soleil. La vie s'accrochait aux avocatiers et aux manguiers dans des odeurs de bougainvilliers baignés de musique. Je n'étais qu'un « grand Blanc » (à prononcer sans le *r*), condamné par définition à écouter les uns et les autres discuter et proposer des solutions à la pauvreté omniprésente. Étranger au pays du rhum punch, invité aux bals à Bellevue, ensorcelé par les fêtes du carnaval, je peignais sur une galerie à l'ombre des flamboyants des toiles abstraites que la famille par gentillesse accrochait dans ses salons. Le soir, après un plat de griot, de pois et riz et de bananes plantains, nous nous endormions au son des tambours pour nous réveiller aux aurores, salués par les cris enroués des coqs.

Personne ne pouvait prédire qu'à la fin du siècle Haïti serait un trou noir surpeuplé et désespéré, rayé de la carte du développement. Les mulâtres se contentaient de tirer bénéfice de leur situation privilégiée, les Noirs demandaient la nuit au vaudou de résoudre les problèmes du jour. Les élus s'en mettaient plein les poches. Le peuple continuait de déboiser pour faire sa cuisine au charbon de bois ; petit à petit, l'érosion appauvrissait les sols. On savait qu'une catastrophe écologique menaçait, mais personne ne voulait y croire. Cette année-là, les mulâtres perdirent le pouvoir aux mains d'un noiriste qui fut élu président dans la foulée des décolonisations africaines.

Le docteur Duvalier allait transformer la Perle des Antilles en prison, son fils, Bébé Doc, l'ouvrirait aux marchands sud-américains d'hallucinogènes. Des intellectuels progressistes, qui rêvaient d'une république socialiste, allaient bientôt se retrouver en exil à Montréal où ils vivraient une étrange révolution tranquillisée par les vents d'hiver.

Pétrole et farine

ous les matins à huit heures quinze précises, André D'Allemagne venait me prendre rue Lacombe, dans sa grosse Buick vert foncé, dont les chromes étincelants du capot dessinaient les ouïes d'un requin. Nous avions convenu d'épargner le coût d'une place de parking dans le sous-sol du 550, rue Sherbrooke Ouest, où nous partagions un bureau chez MacLaren Advertising Agency.

Nous assurions tous deux la production de textes publicitaires parfois originaux, parfois en traduction. Pendant qu'André tentait de déjouer la circulation, chemin de la Côte-Sainte-Catherine, je fouillais des yeux trottoirs et parterres à la recherche d'inspiration. J'étais tenu d'écrire quotidiennement deux minutes de « dialogues » pour un radio-roman à propos des qualités de la farine Five Roses, l'un des plus importants clients de l'agence. Un annonceur et une comédienne interprétaient ces textes avec vivacité, j'écrivais tout ce qui me passait par la tête à condition de trouver une chute qui évoquait la pâte à tarte, les gâteaux légers, les biscuits de Noël ou toute recette justifiant de recommander la farine « préférée des ménagères ». Il m'arrivait aussi de vendre à la même ménagère, dans des textes pour les journaux, les avantages des cuisinières modernes General Electric, mais je n'assurais alors que la traduction d'un concept torontois ; je

77

n'avais pas à inventer. Par contre, chaque matin, en pensant à Five Roses, j'étais un passager angoissé jusqu'à ce que j'aie conçu une idée nouvelle.

Indifférent à mes tourments, mon camarade au volant tenait des discours enflammés sur la fin de l'hégémonie anglaise, ayant à cœur de venger la défaite des plaines d'Abraham. Dans le sillage de la pensée de l'abbé Groulx, il voulait un pays français et dénonçait à mesure, en les montrant du doigt, les affiches en anglais qui parsemaient notre parcours. Je ne pensais qu'à la farine, je lui donnais raison avec des hochements de tête, mais je cherchais en silence une façon astucieuse de relier, par exemple, la beauté des massifs de fleurs d'Outremont à celle de la fine fleur de farine Five Roses, mon obsession.

D'Allemagne était rédacteur principal, il m'enseignait les rudiments du métier de publicitaire. C'était un garçon enjoué, fils de libraire, qui rejouait souvent sur la table de la salle à manger, avec des soldats de plomb, les batailles perdues de Napoléon. Il affirmait chercher dans ce jeu des stratégies de conquête de l'indépendance de la Laurentie. Il espérait même un jour confier le trône de ce nouveau pays au comte de Paris. Nous en discutions au café, entre deux bouchées de gâteau au chocolat, son dessert favori. Il me trouvait incrédule et de peu de foi. Quelques années plus tard, André D'Allemagne devenait républicain et vice-président du Rassemblement pour l'indépendance nationale (RIN) de Pierre Bourgault. J'ignore si le comte de Paris a été déçu.

MacLaren Advertising avait aussi décroché le contrat de *La Soirée du hockey,* l'émission de télévision la plus populaire de la Société Radio-Canada pendant de nombreuses années. D'Allemagne et moi rédigions de concert les mérites de la pétrolière Esso Impériale. *La Soirée du hockey* s'adressait à un large public, il fallait produire des textes lisibles, enthousiastes, affirmant que les essences Esso pouvaient transformer une voiture banale en un bolide de la route. J'adorais mentir ainsi. Jamais je n'avais mesuré la puissance immédiate du verbe avant de concevoir ces courts textes racoleurs qui chantaient la poésie des objets. J'en suis encore honteux, mais il faut parfois faire des compromis : grâce à la farine et au pétrole je rapportais, en ces temps de disette, du pain à la maison.

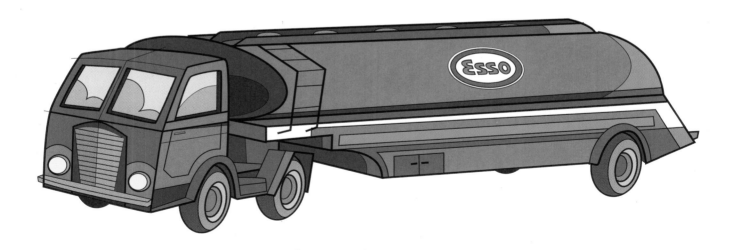

Les Micmacs

Ce soir-là, j'ai pris ma voiture plutôt que la camionnette de l'Office national du film du Canada. Nous étions en tournage dans la réserve des Micmacs à Maria, sur les bords de la baie des Chaleurs. Je comptais enregistrer des bruissements d'insectes et des cris d'oiseaux pour accompagner les images des poupées que de jeunes Amérindiens fabriquaient pour nous depuis quelques jours. Le sujet, à la fois fragile et inspiré, était de Françoise Bujold, qui publiait habituellement ses poèmes illustrés de travaux d'enfants. Sans nous embarrasser de la caméra, nous sommes montés à trois, Jacques Leduc, Gilles Gascon et moi, dans ma Valiant blanche, avec un micro et une Nagra.

Stationnés près d'un fourré, nous étions au travail quand d'une maison toute proche ont éclaté des cris de colère. Une sérieuse dispute familiale, avec des coups et des pleurs. Nous n'osions bouger, lorsque les phares d'une voiture, de passage sur la grande route, ont révélé soudain notre présence. Tout le village de Maria s'est mis en colère à son tour, croyant que nous étions en train d'enregistrer en cachette une querelle intime.

Voyant des hommes courir, nous nous sommes précipités dans la Valiant et sommes partis sur les chapeaux de roue, craignant que l'on nous fasse un mauvais

sort. La semaine précédente, des adolescents de la réserve avaient tabassé un chauffeur puis renversé la voiture sur son toit, les quatre fers en l'air.

J'ai aperçu au loin des phares d'autos s'allumer, on se mettait à notre poursuite. En accélérant, j'ai pris au carrefour une route de terre qui s'ouvrait devant nous. L'accélérateur au fond, à plus de cent milles à l'heure, laissant derrière nous un nuage de poussière, nous avons honteusement fui. Mille images m'assaillaient, mes compagnons étaient muets de peur, je nous imaginais scalpés comme des missionnaires, je devinais dans le rétroviseur les feux de deux ou trois voitures qui nous poursuivaient.

Je me réjouissais d'avoir pris la Plymouth Valiant, ma première américaine. Pendant quatre ans, après notre retour d'exil, j'avais acheté coup sur coup deux Coccinelles, à la fois par nostalgie, mais aussi par économie, elles étaient extraordinaires dans les tempêtes de neige, le poids du moteur sur la traction arrière permettait de défier la glace, mais le chauffage était nul et nous ne voulions plus promener notre fillette fragile et notre fils enrhumé dans une glacière inconfortable.

Inquiet, je regardais du coin de l'œil le niveau d'essence : je n'avais pas refait le plein en arrivant en Gaspésie. Ma famille m'attendait à l'hôtel du Château Blanc, à Bonaventure, ignorant que nous risquions notre vie à rouler comme des fous dans une nuit sans étoiles. Une croisée des chemins s'offrait, j'ai choisi de freiner brusquement, de faire demi-tour, fonçant comme un forcené dans la direction de nos poursuivants aveuglés par la poussière, en espérant qu'ils aient le réflexe, nous voyant arriver, de se tasser sur le bord du chemin. Ce qu'ils ont fait.

Nous les avons dépassés en coup de vent, j'ai retrouvé la route asphaltée, pris la direction de l'hôtel et plongé avec la voiture par-dessus un talus, enfonçant la Valiant dans le sable chaud de la plage. Nous étions tous les trois essoufflés comme si nous avions couru. Nous avons vu passer et repasser sur la route les voitures des autochtones qui s'étaient lancés à notre poursuite, mais ils se savaient hors de leur territoire et peut-être ne nous devinaient-ils pas derrière des arbustes touffus.

Le lendemain, nous avons levé le camp, mettant brusquement fin au tournage. Joint au téléphone, Piel Petjo Maltais, notre interprète, un ami de Françoise Bujold, acceptait de renvoyer à Montréal l'équipement entreposé dans la réserve, ce qu'il fit tout en se moquant gentiment de nous. Trente ans plus tard, c'était à son tour d'être poursuivi, sous le nom de Norman William, devant les tribunaux, pour délits sexuels et pour avoir promené son peuple de Bons Sauvages sur les routes de France et de Finlande.

YUL 871

Le mot cinéma nous faisait vibrer et chaque réalisateur espérait voir un jour son nom affiché sur la marquise illuminée d'une salle, rue Sainte-Catherine. Ah! Participer à un long métrage de fiction! Je n'échappais pas à cette envie, car nous étions, à l'époque, en pleine effervescence poétique et politique. Comment justifier un long métrage non documentaire à l'ONF? Gilles Carle avait pris prétexte d'un film sur le déneigement; Pierre Perrault s'était consacré aux merveilleux acteurs de l'île aux Coudres, filmés par le génial Michel Brault; Gilles Groulx avait transformé un documentaire sur la jeunesse en long métrage mettant en vedette mon frère Claude dans le rôle du jeune intellectuel de la Révolution trop tranquille. Que proposer?

Une dimension inattendue de notre modernité, me dis-je. Ainsi Montréal n'était-elle pas une ville magnifique dont on devait assurer la promotion dans le monde entier? Le titre s'imposait, *YUL 871,* destination, à cette époque, de tous les avions arrivant d'Europe. C'est avec cette justification touristique que je me mis à cogiter. L'idée que je couchai sur papier était assez simple: un ingénieur européen d'origine juive avait appris que ses parents n'étaient peut-être pas morts dans les camps nazis, mais réfugiés au Canada, à Montréal évidemment. Le scénario à moitié écrit fut facilement accepté par une direction prête à tout explorer. Je comptais sur l'improvisation pour l'étoffer.

Mais nous nagions en pleine naïveté. Je n'avais jamais fait de mise en scène, mon producteur, André Belleau, n'avait pas plus que moi la moindre idée de ce que représentait, dans la réalité, la production d'un film de fiction. Première question, comment aborder le casting ? Qui jouerait l'ingénieur ? Belleau et moi sommes donc partis à New York rencontrer les représentants de l'agence William Morris à la recherche d'un comédien. Un acteur de Hollywood aurait fait notre affaire, surtout s'il parlait anglais, les sous-titres ne nous effrayaient d'aucune manière, je pensais même naïvement que cela donnerait un certain style à l'entreprise.

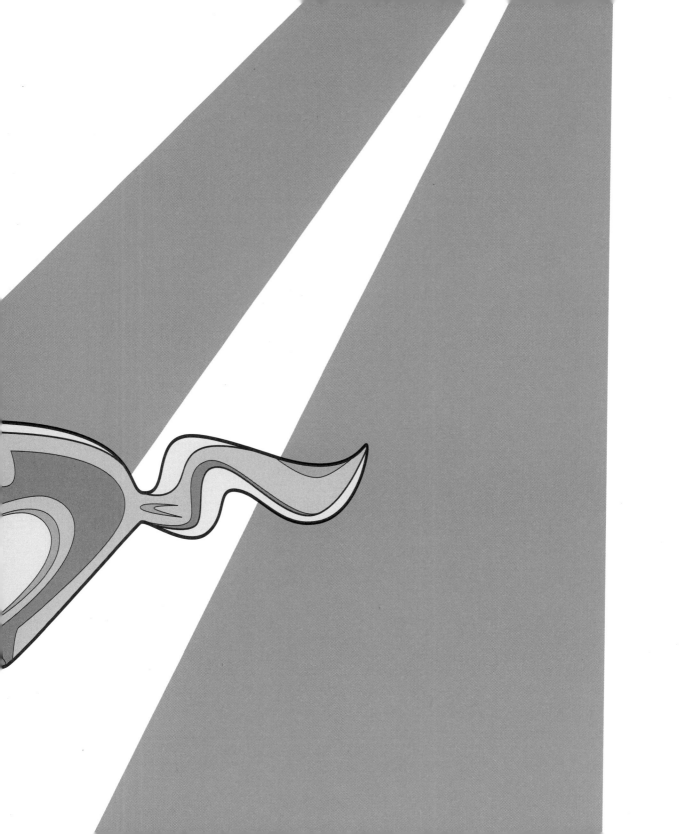

YUL 871

L'agence William Morris possédait de luxueux bureaux en plein Manhattan et n'attendait évidemment pas notre projet pour vivre. Après quelques questions précises sur le budget envisagé, la crédibilité du National Film Board of Canada, notre expertise en cinéma commercial, mon ami producteur a vite compris que nous nous étions trompés de ligue. Aucun comédien américain, digne de ce nom, n'allait accepter de jouer dans un long métrage pour les dix mille dollars canadiens dont nous disposions. Au bar de l'hôtel ce même soir, nous avons fait nos comptes, André se sentait humilié et nous sommes revenus bredouilles.

Il fallait donc se tourner vers l'Europe, chercher, en France peut-être, un acteur plus ou moins célèbre qui ne coûterait pas « les yeux ». Après avoir visionné des douzaines de films à la recherche de la perle rare, nous avons fait au téléphone une proposition à Jean-Louis Trintignant, malheureusement déjà engagé dans un tournage. Notre deuxième choix était Charles Denner, qui avait campé pour Chabrol un Landru étonnant, et que nous avions découvert dans *Z* de Costa-Gavras. Denner acceptait le cachet proposé, les dates lui convenaient. Il arriva à Montréal pour le tournage, sans faire de chichi.

Charles était aussi sympathique qu'on pouvait l'espérer. Après quelques discussions sur le scénario et des séances d'habillage, tout était en place pour la production la plus professionnelle jamais entreprise à l'ONF : régisseur, assistants, scripte, j'étais entouré de collaborateurs compétents, tout était prévu, acheté, loué d'avance, accessoires, décors (dessinés par Frédéric Back), et nous disposions de comédiens québécois de qualité, dont la magnifique Andrée Lachapelle et l'inénarrable Paul Buissonneau. Les dialogues étaient signés Jacques Languirand, et le directeur photo, Georges Dufaux, avait la meilleure équipe technique de la maison. Mais il y eut rapidement un os. Dur à avaler. Un problème de voiture.

À l'origine, j'imaginais le film comme une sorte de monologue intérieur dont le rythme serait ponctué par le périple de l'ingénieur à la recherche d'indices pour retrouver sa famille. Je le voyais se glissant dans une circulation fluide à travers la ville, à l'arrière-plan Montréal devenait un somptueux décor. Charles Denner aurait exploré les fonds et les bas-fonds de la métropole, ses artères et ses banlieues désertiques dans une décapotable rutilante. Mais tout cela n'était que littérature, je veux dire : c'était une idée sur papier.

Quand Charles Denner, l'ingénieur inquiet, se retrouva, dès le premier jour de tournage, derrière le volant de la Mustang d'Andrée Lachapelle coincée entre deux véhicules stationnés, je découvris, mais un peu tard, que ma vedette non seulement n'avait pas de permis de conduire, mais qu'en réalité elle n'avait même jamais appris à faire démarrer une automobile. En fait, Denner était un acteur classique, incapable d'improviser, piéton indéfectible, légèrement perdu dans notre culture américaine, et mon projet se dirigeait à toute vitesse dans un cul-de-sac.

Que faire ? S'adapter. Passer d'une vision fluide à un tournage découpé en plans fixes, éliminer ceci, repousser cela. J'ai longtemps conservé un souvenir cauchemardesque de cette aventure trop grande pour mes petits souliers artistiques. *YUL 871* avait en somme rassemblé une impressionnante équipe dont tous les membres étaient à la hauteur, sauf le réalisateur qui, avec son producteur, faisait ses classes sur le dos du public. Mais tourner un film, c'est comme voyager à bord d'un train, difficile de sauter pendant qu'il est en marche. De séquence en séquence les jours passaient, je me retrouvais le plus souvent à diriger la circulation, à rafistoler des situations. Nous disposions de trop gros moyens pour un projet si modeste.

Le plus étrange, c'est qu'avec une musique signée Stéphane Venne et François Dompierre, un montage élaboré pour cacher les faiblesses du scénario, et malgré l'incapacité de Denner de conduire une voiture, nous avons peaufiné une étrange pellicule *nouvelle vague* à la Resnais, qui obtint le Grand Prix (un Hugo) de la mise en scène au Festival du film de Chicago ! Peut-être nous l'avait-on accordé parce que Chicago n'était pas loin de Detroit où avait été fabriquée la Mustang.

Le libraire

La télédiffusion, à l'écran de Radio-Canada, du documentaire collectif *À Saint-Henri le cinq septembre* me vaut, dès le lendemain matin, une poursuite en diffamation d'un million de dollars : j'en ai écrit le commentaire. L'association des marchands de la rue Notre-Dame considère que le film déprécie Saint-Henri en le décrivant comme un quartier pauvre de Montréal. L'ONF prend l'action judiciaire au sérieux, le ministre à Ottawa s'inquiète et je dois préparer avec soin un dossier complet pour notre défense. Or le soir même, je reçois un coup de fil d'un certain Maurice Nadeau des « Copains de Saint-Henri », qui veut se porter à mon secours. Je l'invite à la maison avec ses amis, j'achète trois caisses de bière, des sacs de chips et je prie Pierre Juneau, directeur de la maison, et Fernand Dansereau, producteur du film, de venir m'épauler. Avec les gars de Saint-Henri on ne sait jamais, peut-être veulent-ils me casser les jambes.

En réalité, Maurice Nadeau se révèle être un garçon de mon âge qui n'a pas été choyé par la vie : le dos un peu voûté, le cheveu rare, il est édenté et fume une pipe qu'il ne cesse de rallumer. Ses camarades sont des adolescents légèrement figés par l'allure officielle de la réunion qui se déroule devant les grands pontes de l'ONF dans mon salon décoré de souvenirs éthiopiens. Même si les «Copains» boivent leur bière au goulot, les échanges sont éminemment civilisés et ils nous persuadent que les marchands du quartier n'obtiendront pas gain de cause. Ils sont tous prêts à venir témoigner en cour de la justesse de notre documentaire, ils n'ont pas honte d'habiter entre les voies ferrées qui desservent les industries et affirment avec fierté leur solidarité.

Dès les premières minutes, j'ai trouvé que Maurice Nadeau faisait montre d'un sens aiguisé de l'humour et d'une bonne culture. Il m'intrigue. Au moment de nous quitter, je lui propose qu'on se retrouve la semaine suivante. Il me donne l'adresse d'une taverne. Dans les mois qui suivent, et de taverne en taverne, j'apprends que Maurice Nadeau et moi sommes nés la même année, qu'abandonné dès son jeune âge, placé en famille d'accueil, il a quitté l'école à quatorze ans. Nadeau a pratiqué cent métiers et autant de misères, il a surtout gagné sa pitance en jouant au black jack avec des proxénètes de la *Main*.

Depuis plusieurs mois, Nadeau peine dans une usine où l'on fabrique des bouteilles de plastique. Les produits chimiques utilisés répandent des odeurs pharmaceutiques qui l'étourdissent. Il déteste ce travail répétitif et me raconte avec le sourire, une *draft* après l'autre, le plaisir qu'il a eu jadis à servir des clients derrière le comptoir d'un restaurant ou même en salle. Il a chaque fois perdu ces emplois parce qu'il discutait trop et retardait le service. Maurice est volubile, drôle et pertinent, ses réparties sont étonnantes, sa philosophie pratique séduisante. C'est une sorte de socialiste naïf qui critique intelligemment les discours politiques en décortiquant la bêtise des hommes de pouvoir. Plus je le fréquente, plus il se transforme en ami, mais aussi en personnage : dans ma tête il devient en somme le *Roi du Hot Dog*.

Un soir, interrompant la rédaction de mon roman pour me rendre à sa taverne préférée, je lui demande ce qu'il aurait vraiment voulu faire dans la vie s'il avait eu le choix. «Libraire!» répond-il, en m'avouant avoir lu un livre par semaine depuis son adolescence. Nous discutons de ses auteurs préférés, nous ne partageons pas les mêmes goûts, il fréquente Saint-Exupéry, mais nous avons Camus en commun. Je lui propose alors, à brûle-pourpoint, de louer un local dans son quartier, rue Notre-Dame, et de lui trouver suffisamment de bouquins pour ouvrir une librairie de livres d'occasion. Il accepte, nous partagerons les coûts du loyer.

Nadeau dégotte rapidement un local et je respecte mon contrat : en quelques jours, utilisant ma vieille Coccinelle qui est désormais la voiture de ma femme, j'empile des caisses de livres que me donnent généreusement les camarades de la revue *Liberté* et des amis critiques (dont Gilles Marcotte) qui reçoivent des douzaines de titres en service de presse. Pourquoi est-ce que j'utilise la Coccinelle ? Peut-être parce que le siège arrière bascule et que cela me permet de transporter plusieurs boîtes à la fois. Mais surtout, dois-je l'avouer, parce que je me sens plus à l'aise de descendre à Saint-Henri dans une automobile de prolétaire plutôt que dans mon américaine.

Je fais en quelques jours une dizaine de voyages et Maurice peut installer sur les étagères de sa boutique les titres les plus hétéroclites que l'on puisse imaginer. L'ennui c'est que je ne suis pas persuadé qu'ils soient adaptés au goût de ses éventuels clients. Me sentant moralement coresponsable de la librairie, j'emprunte désormais chaque semaine la Coccinelle pour visiter les lieux.

Nadeau n'est pas doué comme marchand, ce qu'il veut c'est que les jeunes du quartier prennent plaisir à la lecture, ceux qui ne peuvent acheter un ouvrage l'empruntant pour quelques sous. Il accepte aussi le principe des échanges, peu importe les titres : la librairie devient un capharnaüm sympathique, mais les comptes sont en quelques mois désastreux.

J'ai beau rappliquer avec la voiture pleine de livres, Maurice oublie de les vendre, il préfère les prêter. Il a le sens de la répartie, mais pas celui du commerce. J'aurais souhaité le lancement de *Salut Galarneau !* à Saint-Henri rue Notre-Dame, mais Nadeau jette l'éponge avant que j'aie terminé mon manuscrit.

Le soir de la fermeture officielle de la librairie, les « Copains » viennent faire la fête. On bavarde, discute et décide de tourner ensemble un film sur leur vie, ça s'intitulera : *Huit témoins*. Mais surtout, en fouinant dans la boutique, je découvre sur une tablette une collection complète des récits d'*Ixe-13*, un feuilleton d'espionnage qui se vendait pour quelques sous pendant la Seconde Guerre mondiale. Je me l'approprie pour services rendus et, remontant chez moi par la montagne, je chante pour couvrir le moteur de la Coccinelle, me disant que la librairie du Roi du Hot Dog n'était peut-être pas un investissement à fonds perdu.

LES AV
ETRA

L'AGEN

L'AS DES ESPIC

(NO 456) Grand roman d'e

Le journal d'un
PRISONNIER

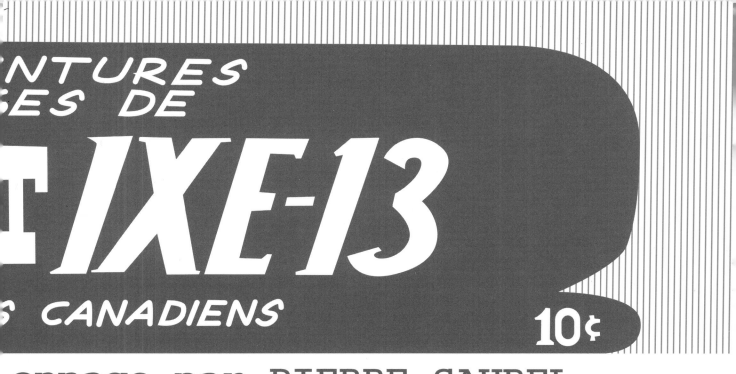

NTURES
ES DE
IXE-13
CANADIENS
10¢

onnage par PIERRE SAUREL

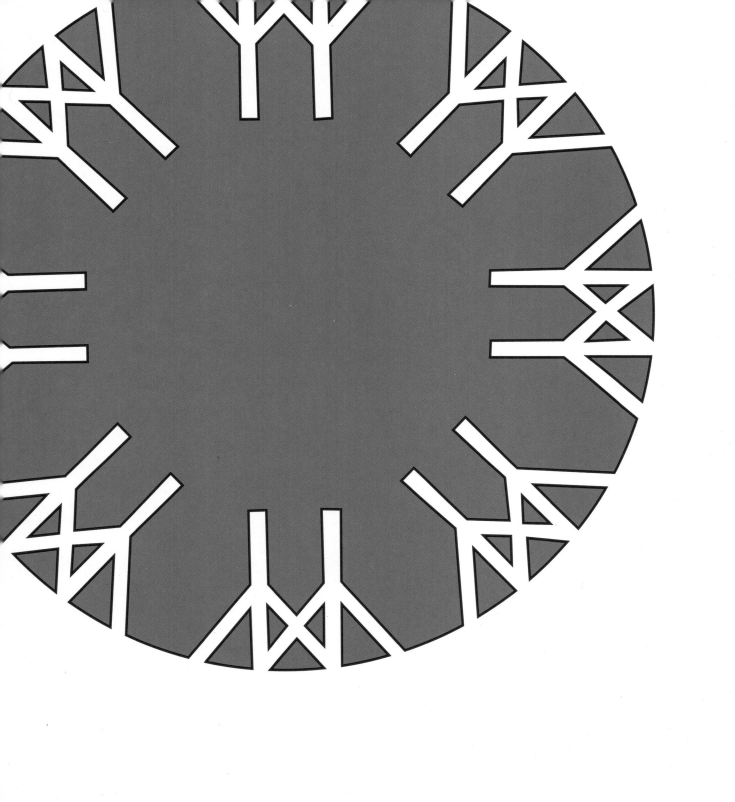

Les Japonais

Dans deux ans, le pays allait souligner le centenaire de la Confédération canadienne par l'Exposition universelle de Montréal. Nous étions nombreux à nous agiter, j'étais scénariste de l'un des pavillons thématiques, représentation obligatoire de la dimension culturelle et scientifique de l'entreprise. Je travaillais sous les ordres du colonel Churchill, militaire à la retraite, et du diplomate Gérard Bertrand que j'avais connu en Europe à l'occasion du tournage, avec Georges Dufaux, d'un court métrage sur Paul-Émile Borduas.

On m'avait d'abord expédié à New York où se tenait une immense foire industrielle dont l'expertise en maîtrise des foules et la variété des spectacles devaient d'autant plus servir de modèle que personne au Québec ne possédait la moindre parcelle d'expérience dans ce domaine. Évidemment, New York disposait de toute la technique du géant américain, du savoir-faire des entreprises Walt Disney et de plusieurs millions de dollars de plus que nous pauvres Canadiens, mais enfin.

Au retour, je participe à de nombreuses séances de discussions avec des sociologues, des économistes et des psychiatres, le sujet est vaste comme le monde. J'ai comme première tâche de faire la synthèse des discours en proposant des pistes dont un designer de Toronto se servira pour la mise en scène des artefacts. Mes patrons ont rapidement découvert que je travaille mieux à jeun que bien nourri et ne me permettent de me restaurer qu'à la remise des documents ; les échéanciers des travaux s'avérant précis et serrés, je ne prendrai pas de poids.

Les plans du pavillon sont de l'architecte Arthur Erickson, de Vancouver, qui a dessiné un édifice tout en bois, de forme conique, offrant un vaste espace intérieur. À l'entrée, des sculptures en papier de Norman McLaren orienteront les visiteurs vers les sentiers d'un jardin floral dont les bosquets seront parsemés d'objets industriels plus ou moins obsolètes, machines à laver, radars, fusées, téléviseurs, carcasses de voitures, pour évoquer à la fois la précarité des civilisations et le passage des hommes de la campagne à la ville. C'est ce que l'on nomme, en langage d'exposition, un concept.

Mais il nous faut aussi, dimension universelle oblige, des participations étrangères. J'ai proposé de confier un spectacle à Jiri Trinka, le génial marionnettiste tchèque qui va illustrer que la paresse de l'homme est le moteur de la civilisation. Un peu d'humour *mittle europa* ne nous fera pas de tort.

Il nous manque encore un *exhibit* qui racontera le choc des cultures en ce milieu du XXᵉ siècle. Nous sommes condamnés à l'inventer avec de petits moyens, d'où l'idée d'une super séance de remue-méninges en compagnie de trois camarades, Gilles Carle, Paul Buissonneau et Jacques Languirand. Cinéma, comédie, dramaturgie.

Nous montons à Québec dans ma toute nouvelle Mercury Cougar de couleur bourgogne, voiture rutilante s'il en est (que m'a vendue mon beau-frère, membre depuis peu de la diaspora haïtienne). Je déteste les produits Mercury, mais mon beau-frère ne vend que ce produit et le modèle est amusant : quand je coupe le contact, la voiture baisse des paupières noires sur ses phares, comme si elle allait sommeiller en attendant mon retour. Elle me fait du cinéma. Le voyage est un délire. À peine ai-je évoqué le thème à débattre que Carle, verbomoteur, se lance dans des considérations sociologiques que Buissonneau s'empresse de contredire, déclenchant le rire communicatif de Languirand qui cite McLuhan à tout propos. Je me retiens d'intervenir et je tente de glisser la Cougar nerveuse entre les camions qui encombrent l'autoroute vers la capitale. Mes camarades réfléchissent à haute voix du pont Jacques-Cartier au pont de Québec. Nous arrivons épuisés au pied du cap Diamant. Pourquoi Québec ? Pour nous

permettre de mettre de côté nos tâches quotidiennes et de nous concentrer, dans un cadre agréable, sur un projet que nous devons concevoir en quarante-huit heures.

Les services de l'Exposition nous ont réservé des chambres au Château Frontenac. Par le plus grand des hasards, la première séance de *brainstorming* a lieu dans un bar lambrissé de forme circulaire. Cette forme s'impose immédiatement à nos esprits : nous avons maintenant en tête une structure physique. Qu'en faire ? Quel spectacle y insérer ? Au bout de longues heures de repas et de discussions, d'une nuit et de quelques autres séjours dans le bar circulaire, mes aimables compagnons ont conçu des anneaux de trois dimensions dont le sens de rotation aléatoire permettra de visionner, comme dans un kaléidoscope, des images de l'homme dans la cité. Ce spectacle *géant* demandera des éclairages comme au théâtre, des décors comme au cinéma et des objets comme au musée. Nous rentrons à Montréal avec le sentiment du devoir accompli.

Je rédige le compte rendu de nos travaux et la proposition est retenue. La direction de l'Exposition, cependant, insiste pour que le système mécanique des anneaux soit conçu et fabriqué au Japon : la dimension obligatoirement internationale des pavillons thématiques l'exige. Trinka représente l'Europe, nous sommes l'Amérique, il manquait une participation asiatique.

En 1965, avant Internet, l'Asie est un lointain continent. Seul Jacques Languirand, qui a accepté de produire le spectacle, pourrait raconter les innombrables délais et difficultés que la fabrication à l'étranger des rouages du carrousel kaléidoscopique a causés. Avec son équipe québécoise, il bricole des solutions, adapte des appareils, crée des tableaux et se démène comme un beau diable. Le colonel Churchill est sur les dents.

Hélas, une fois *la chose* mise en place, les grandes roues ne bougent pas toujours comme prévu, quand elles acceptent de tourner. Aussi les spectateurs, pendant l'Exposition, seront souvent plus amusés des accidents de parcours que des chocs aléatoires d'images qu'ils ne pourront qu'entrevoir.

Je ne vais pas m'en excuser en disant que le projet a été conçu dans un bar et que l'industrie nipponne n'était pas à la hauteur de nos espérances. De toute manière, le pavillon *L'Homme dans la cité* était si beau que nos petits malheurs, à l'échelle universelle, passèrent inaperçus. Et trente ans plus tard, les Japonais auront sauvé la face en prenant la tête de l'industrie automobile, prouvant au monde entier qu'ils savent désormais faire tourner des roues.

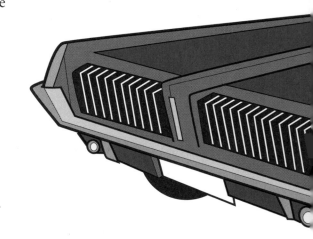

103

Le grand luxe

Il faut savoir qu'écrivains et cinéastes, lors des colloques internationaux ou des festivals cinématographiques, sont habituellement traités aux petits oignons. On nous transbahute comme des invités de marque dans des limousines resplendissantes de l'aéroport à l'hôtel, des tables de chics restaurants aux salles de projection ou de congrès.

Ces petits plaisirs font partie des privilèges que les artistes n'évoquent jamais en public, surtout s'ils votent à gauche. Les festivals de littérature ou de cinéma sont des fêtes, il n'y a aucun salaire à la clef, d'où ces attentions et le luxe que les organisateurs se croient obligés d'offrir à leurs participants. De leur côté, écrivains et cinéastes ne répugnent pas, pendant quelques jours, à vivre comme des millionnaires dans des hôtels quatre étoiles (c'est souvent la basse saison), ils se laissent inviter à des réceptions au champagne et vont danser au son des meilleurs orchestres tard dans la nuit. J'ai connu ces plaisirs entre autres à Moscou, Cannes, Nice, Berlin, Bruxelles, Karlovy Vary et Biarritz. Mais les voitures de festivals n'étaient finalement que des taxis de luxe, car un jour j'ai connu le véritable et immense plaisir d'être conduit comme un banquier, avec chauffeur déférent, souriant, portant l'uniforme idoine. Guy Roberge, que Dieu ait son âme, délégué général du Québec à Londres, m'avait offert sa Jaguar et son chauffeur pour me promener dans la City et y faire du *shopping* pour les enfants. Le chauffeur m'avait évidemment déposé, entre autres, chez Harrods.

Londres est une ville magnifique dans laquelle tout Canadien français montréalais se sent à l'aise. Les carrefours y portent des noms de marques familières, les monuments évoquent l'histoire politique du Canada, l'architecture de briques et l'ensemble du décor urbain concourent à nous «payser», si je puis dire. De plus, l'anglais ne nous est évidemment pas une langue étrangère, pas plus que la légendaire politesse des Londoniens.

Je ne compte plus les fois où des Québécois se sont étonnés devant moi de se sentir plus à l'aise à Londres qu'à Paris où le rythme, la langue et les édifices monumentaux étalent une richesse qui écrase les modestes citoyens que nous sommes. Ajouterais-je que ces remarques de mes concitoyens ne font que renforcer mon hypothèse d'une société de Britanniques de langue française qui habitent incognito sur les rives du fleuve Saint Laurent.

Guy Roberge appartenait à une génération de diplômés universitaires née au début du XXe siècle. Médecins, avocats, journalistes, humanistes intéressés à la littérature, dévoués au bien commun, ils s'étaient opposés pendant la Deuxième Guerre mondiale au nationalisme clérical. Comme Jean-Louis Gagnon, écrivain et journaliste, Roberge était un libéral. Député fédéral défait, il avait été nommé président de l'Office national du film du Canada où j'avais trouvé un emploi.

Guy Roberge m'avait à cette occasion chaleureusement accueilli, nous avions plaisir à débattre d'idées. Pourtant, je ne lui avais pas rendu la tâche facile quand le gouvernement Pearson avait nommé une commission d'enquête sur le bilinguisme et le biculturalisme des institutions culturelles, réclamée par André Laurendeau. Avec le concours de Clément Perron, scénariste de *Mon oncle Antoine*, nous avions rédigé un mémoire dénonçant la situation des francophones à l'ONF, soumis quotidiennement à une direction anglaise franc-maçonne et méprisante.

La Commission devait bientôt visiter les bureaux de l'ONF et nous entendre. Par déférence pour Guy Roberge, je m'étais permis de déposer sur sa table un exemplaire du mémoire que nous comptions présenter à Laurendeau et à ses collègues. Dès le lendemain matin, il me faisait venir à son bureau, me remettait le mémoire en

m'affirmant qu'il ne l'avait évidemment pas lu, mais s'empressait de transformer les structures de notre boîte de production, annulant ainsi *de facto* l'intervention publique de la commission B&B.

André Laurendeau s'était réjoui d'éviter cette visite à l'Office, me confiant que l'édifice lui rappelait plus un hôpital psychiatrique qu'un organisme culturel, ce qui n'était pas tout à fait faux quand on songe que, dans ce complexe architectural aussi laid qu'utilitaire, les employés du laboratoire se promenaient en blouses blanches comme des infirmiers et que certains cinéastes avaient des comportements étranges, parfois schizoïdes.

Le lendemain de ma virée londonienne en Jaguar, Roberge m'invitait à déjeuner dans son club réservé aux diplomates. Les fauteuils de cuir patiné de la bibliothèque avouaient cent ans, et la cuisine était délicieuse. Je me souviens d'une entrée de crevettes grises au beurre, d'une sole de Douvres aux amandes et d'un Sancerre frais comme le matin. Les clubs privés londoniens faisaient partie de mes souvenirs romanesques, je mettais enfin les pieds dans l'un d'eux, près de Trafalgar Square, croisant dans l'escalier John Le Carré. Je n'eus qu'un regret à propos de la Jaguar : ne pas avoir parcouru Londres en compagnie du grand romancier de la guerre froide. Il est vrai que c'est en Bentley que se promenaient, à l'époque, les vrais espions.

Le passager

Nous roulions dans la nuit vers Montréal après avoir participé à l'une de ces innombrables réunions culturelles et politiques qui agitaient le pays depuis que le Parti québécois avait pris le pouvoir à l'Assemblée nationale. L'autoroute, comme une moquette de grosse laine, glissait à cent vingt kilomètres à l'heure sous les pneus. Nous parlions pour nous tenir éveillés, filant entre les murs sombres des champs de maïs dans un silence ouaté. Le voyage en automobile, fauteuils rembourrés, musiquette à la radio, incitait aux confidences et souvenirs. À mes côtés, Gérald Godin, qui avait l'étrange habitude, en discutant, de s'enfoncer le cou au creux des épaules, étalait plutôt ce soir-là ses longues jambes sous le tableau de bord.

Godin se détendait, rappelant, sans me remercier pour autant, que j'avais insisté à l'époque pour qu'il quitte son emploi de journaliste au *Nouvelliste* de Trois-Rivières. Nous partagions avec des nuances les mêmes idées politiques, nous fréquentions les mêmes amis, participions aux mêmes débats, sans appartenir à la même génération. Je lui avais expliqué que nous avions besoin de lui à Montréal, de son imagination, de son sens affûté de l'ironie, de son instinct politique. Mes discours l'avaient cependant moins convaincu de déménager dans la métropole que le rire de Pauline Julien que je venais de lui présenter et dont il avait rapidement fait sa compagne et complice. La chanteuse et le poète allaient devenir des icônes de l'Indépendance du Québec.

Gérald Godin était maintenant ministre dans le gouvernement de René Lévesque. Il avait réalisé un passage réussi entre le poétique et le politique. Quand il m'avait annoncé, lors d'une Rencontre d'écrivains dans un hôtel des Laurentides, sa décision de se présenter contre Robert Bourassa dans la circonscription de Mercier, je lui avais fait signer une promesse d'élection : il s'engageait à me confier les travaux de voirie de la province, s'il était élu. C'est dire à quel point nous ne pensions jamais, ni lui ni moi, qu'il serait député. La campagne électorale, menée avec l'appui de dizaines d'artistes et comédiens, majoritairement indépendantistes, lui avait donné la victoire. Gérald se défendait en riant de n'avoir pas honoré son engagement, prétextant qu'il s'occupait de la langue du pays et non des ponts et chaussées.

C'est le plaisir des mots, l'amour du verbe, la curiosité et le travail sur la langue qui avaient scellé notre amitié. Nous aimions tendre l'oreille, écouter, jouer avec les expressions de la rue. « Salut Galarneau ! » cousinait avec ses « cantouques », des strophes célébrant le langage populaire. On ne dira jamais assez le rôle des poètes dans la conscientisation du pays québécois. L'économie, l'éducation, les médias ont, l'un après l'autre, joué un rôle, mais c'est la poésie et la chanson qui avaient débroussaillé le chemin. Quand Jean-Guy Pilon disait le paysage et Gaston Miron psalmodiait notre difficulté de vivre, Gérald Godin de son côté donnait la parole aux petites gens. La loi sur la langue aurait pu s'intituler « la loi des 101 poètes ».

Gérald se disait profondément convaincu que cette loi 101 allait transformer notre approche du monde. Nommé quelques mois plus tard ministre de l'Immigration, Godin travaillait pour qu'un jour tous les Québécois aient le français en partage. Je soutenais que cette loi allait mettre fin au joual plutôt qu'à l'usage de l'anglais :

n'était-ce pas là le message fondamental d'une langue officielle désormais langue principale d'enseignement?

Une pluie fine s'était mise à tomber, les essuie-glaces de la Chevrolet, louée chez Avis, laissaient sur le pare-brise des coulées de gras qui déformaient les affiches lumineuses en bordure de la route. «Mon rêve, disait-il, serait de voir se transformer toutes ces bannières anglo-américaines en québécoises! Que *Toys R Us* devienne *Au roi des Jouets,* par exemple!» Si nous exigions que les entreprises portent des noms français, affirmait-il, celles-ci allaient inévitablement se transformer en entreprises qui nous ressembleraient. Ignorant que l'incorporation des enseignes les mettait à l'abri de la loi, nous avons poursuivi cette discussion, comme des littéraires nourris de symbolisme, jusqu'à ce que je dépose mon passager chez Pauline, au «carré» Saint-Louis. Mais je n'ai pu résister à demander au ministre, au moment où il allait refermer la portière, s'il envisageait de militer un jour pour que «square», un noble mot de notre langue, remplace «carré», une vilaine traduction. Godin m'a envoyé promener.

CYCLE BEAU DE ROCHAS
OU CYCLE À 4 TEMPS

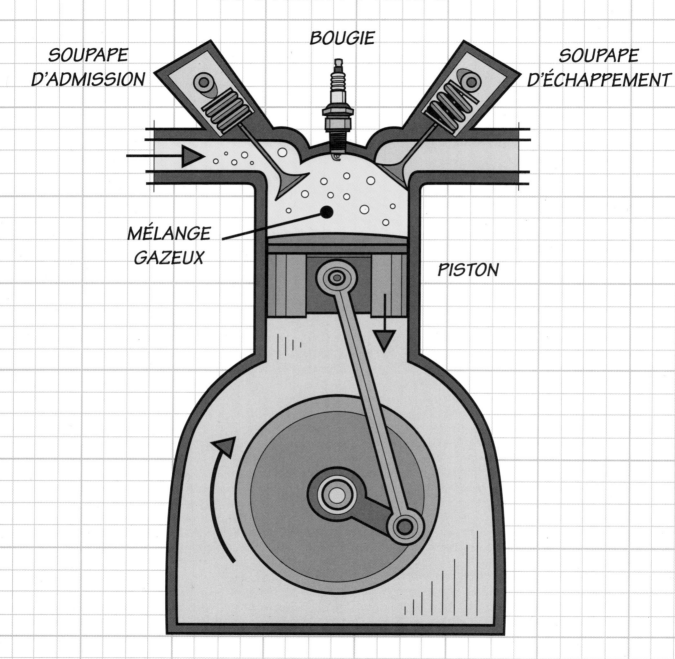

BOUGIE

SOUPAPE
D'ADMISSION

SOUPAPE
D'ÉCHAPPEMENT

MÉLANGE
GAZEUX

PISTON

1- ADMISSION

Un cadeau

Cherchant désespérément ce que j'allais offrir à mon fils, à l'occasion de son trentième anniversaire, j'ai soudain pris conscience que *jamais* mon père ne m'avait, après l'enfance, fait de cadeau. Bien sûr, j'avais reçu des étrennes à Noël et au jour de l'An. Il m'avait offert plein de choses, jusqu'à l'âge de douze-treize ans, des skis, des raquettes de tennis, un train électrique, un Meccano, mais rien depuis que j'avais atteint l'âge adulte, aucun véritable cadeau. À y penser seulement j'en étais remué, aussi bouleversé que le soir où il était revenu de voyage avec des surprises pour ma sœur et mon frère, mais rien pour moi : il m'avait oublié. Ou bien étais-je déjà trop âgé à ses yeux, quatorze ans peut-être ? Et jusqu'à quel âge attend-on, face à son père, un geste de tendresse ?

Étrange. Du côté de ma mère, les fêtes dans la vieille demeure de son oncle médecin étaient joyeuses, pleines de musique et d'odeurs de tartes tièdes. Les pièces lambrissées cachaient des armoires secrètes et les escaliers dérobés servaient à nos jeux de pistes. L'imagination logeait chez les Daoust, les Lalonde, les Guénette du lac Saint-Louis, moins rue Villeray, où habitaient mes grands-parents paternels avec leurs filles célibataires qui tenaient un magasin de passementeries, de coupons et patrons. Le

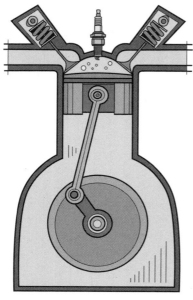
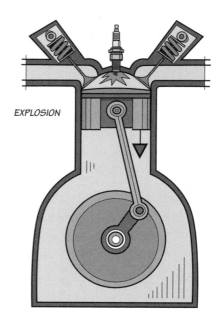

2- COMPRESSION

EXPLOSION

3- COMBUSTION

grand-père Trefflé, né Godbout, un homme sévère, membre du parti bleu, avait épousé Émilia, née aussi Godbout, mais de la branche rouge. Les fêtes familiales étaient consacrées aux discussions politiques entre adultes dans le salon, parfois agrémentées des films d'amateur qu'un riche beau-frère nous imposait. Mais nous, les enfants, étions le plus souvent relégués à l'arrière de l'appartement. Pourtant, je me rappelais y avoir reçu, au jour de l'An de mes onze ans, un magnifique camion de pompier dont l'échelle se déployait automatiquement sous un choc frontal, un cadeau du grand-père qui avait pratiqué à Montréal ce métier périlleux avant d'être confiné dans une caserne, à la suite d'un accident dans la grande échelle, justement.

L'ancêtre était de la région de L'Isle-Verte dont les hommes formaient près de la moitié des brigades de pompiers de Montréal en 1900. Ces fils de cultivateurs qui immigraient en ville, depuis le village, avaient noyauté le réseau et ils se passaient le mot pour trouver un emploi. Installé dans Hochelaga, le jeune ménage Godbout et Godbout avait eu neuf enfants, cinq filles, quatre garçons, dont mon père né en ville, mais pour sa santé expédié aux champs chez ses oncles cultivateurs dès que venait l'été. Il était ainsi devenu un Montréalais nostalgique de la nature.

Mais voilà que je m'apitoyais sur mon sort à propos de cette histoire de cadeau. Pour me rassurer, je me disais que mes parents, sans être dans la misère, avaient

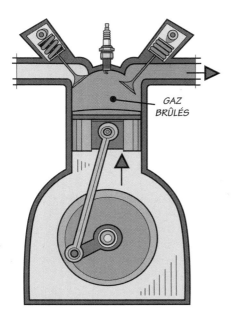

4-ÉCHAPPEMENT

connu la gêne ; ils s'étaient privés du superflu pour nous offrir une enfance heureuse, des mois de soleil au bord du Saint-Laurent et des études dans des institutions privées.

Or voilà que j'errais totalement ! La mémoire me revenait, je devais avoir cinquante ans bien sonnés, mon père, je m'en souvenais soudain, m'avait effectivement offert *un livre* en cadeau. Comment avais-je pu l'oublier ? Il me l'avait remis en me déclarant, avant que je déchire l'emballage, que cet ouvrage « changerait ma vie, m'ouvrirait les portes du bonheur et de la sécurité ». J'espérais un ouvrage de philosophie, un chef-d'œuvre de la littérature mondiale, le recueil de poésie d'un Prix Nobel ; or c'était, il faut me croire, un *Manuel d'entretien des voitures automobiles* illustré de photos et dessins !

Pour mon géniteur, qui avait connu les multiples ennuis des voitures américaines, qui avait perdu des heures dans des stations-services à attendre qu'un mécanicien découvre l'origine d'une panne, qui avait dépensé des milliers de dollars en réparations diverses, à l'époque où les bielles coulaient de partout et où les pneus crevaient pour un rien, un *Manuel d'entretien des voitures automobiles* était le plus beau cadeau qu'un père puisse faire à son fils.

J'ai encore honte de ne l'avoir jamais utilisé.

Mon auto contre un cheval

J e n'ai jamais cessé, jusqu'à plus de soixante ans, de me questionner sur ce que je devais faire de ma vie. M'étais-je bien orienté?

Après quelques moyens métrages, j'avais réalisé *YUL 871*, dans la foulée des recherches formelles françaises, puis, le cinéma tchèque fleurissant, proposé, deux ans plus tard, *Kid Sentiment*. Le scénario tenait en deux pages, sous forme de poème en prose, inspiré par la liberté d'écriture du Forman des *Amours d'une blonde*; nous expérimentions et improvisions. Je comprenais enfin que je devais coller à la dimension littéraire du cinéma, ce qui m'amenait, cinq ans plus tard, à orchestrer en couleurs vives *IXE-13,* un ineffable exercice *Ti-Pop* inspiré des romans populaires du temps de la guerre. Cette comédie musicale dut son succès au coup de pouce génial du producteur Pierre Gauvreau qui m'avait présenté le décorateur Claude Lafortune, mais surtout aux talents multiples de François Dompierre qui sut mettre avec brio mes paroles en musique. *IXE-13* m'avait aussi permis de réunir un casting extravagant composé de comédiens professionnels et amateurs, dont les célèbres Cyniques.

La question du film québécois, à l'époque, se posait par rapport au public qui boudait les productions indigènes. Comment attirer et rentabiliser notre cinéma? J'avais, en vue de plaire au plus grand nombre, entrepris par la suite *La Gammick* comme un exercice de film noir à l'américaine. Mais, avouons-le, je m'ennuyais copieusement sur les plateaux de tournage quand il fallait attendre que les éclairagistes et le directeur photo se décident enfin à me laisser lancer : « Silence ! Partez ! » Je suis d'un naturel impatient et, après avoir réalisé quatre longs métrages de fiction en autant de styles, j'avais compris que ce n'était pas la peine d'insister.

En y réfléchissant, je m'étais persuadé que je serais plus heureux et plus à l'aise dans la réalisation de documentaires. Le temps des films d'observation était révolu, je croyais à la nécessité d'un cinéma d'essais qui permettait une réflexion sur la société, que ce soit à l'occasion de la mort d'un ami, *Deux épisodes dans la vie d'Hubert Aquin*, ou en déconstruisant le journal télévisé comme dans *Derrière l'image*.

Pourtant étais-je vraiment à ma place ? Je savais bien que j'aurais pu devenir quelqu'un d'autre : un publicitaire efficace par exemple, ou un enseignant dévoué, un artiste peintre pauvre, un animateur de la radio culturelle. J'aurais pu retourner à l'université étudier le droit ou même obtenir un diplôme en sociologie, peut-être en histoire. Qui étais-je ? Écrivain, j'avais publié poèmes, romans et essais, dirigé la revue *Liberté*. Citoyen, j'avais fondé des associations, dont le Mouvement laïque de langue française et l'Union des écrivains québécois. J'avais participé à la création du Mouvement Souveraineté Association, mais aussi présidé le Syndicat général du cinéma et de la télévision avant de changer de chapeau et de diriger la production française de l'ONF. Or cet activisme ne me rassurait d'aucune manière.

C'est pourquoi tous les samedis matin, de l'âge de trente à soixante ans, j'épluchais les pages de « Carrières et professions » du journal *La Presse* de Montréal, à la recherche de mon véritable rôle sur terre. Un retour à la nature ? De tous les emplois qui me faisaient envie dans les gazettes, et que je croyais pouvoir remplir, c'est celui de professeur d'équitation à Sainte-Anne-de-la-Pocatière qui m'a, un jour, le plus intéressé.

J'étais monté pour la première fois à dix ans sur le dos de la plus noble conquête de l'homme en compagnie de mes cousines dans le domaine de Frelighsburg. Je n'étais pas un mauvais cavalier, le paysage était idyllique, une petite rivière sillonnait la prairie, et si la bête n'avait pas tant insisté pour rentrer à l'écurie à la fine épouvante, je me serais vraiment senti son maître. Par la suite, j'ai appris à maîtriser les chevaux dans

différentes écoles d'équitation, dont l'une au Manitoba. Je me souvenais aussi d'une promenade en Camargue avec mes enfants sur des chevaux blancs pommelés. Je revoyais les amis de Will James trottinant dans les collines de l'Alberta. J'avais, depuis mon enfance dans la ferme paternelle de Contrecœur, un faible pour les sueurs chevalines. La perspective de bichonner des purs-sangs, de balayer les écuries et de pelleter le crottin, de peigner la crinière d'une pouliche m'attirait vraiment. De plus, je me serais senti heureux et en famille à La Pocatière où mon père avait étudié, où Adélard avait enseigné, près du fleuve qui prend ses aises à cette hauteur.

L'ennui c'est que le grand-oncle, premier ministre du Québec, avait fait face à un problème de cheval justement, pendant la guerre. Le peuple souffrait de ne plus manger de bacon, la viande de porc étant réquisitionnée pour être expédiée en Angleterre où cantonnaient les soldats canadiens. Lui, qui avait poursuivi à Boston des études scientifiques sur l'élevage des chevaux, pensait convaincre les Canadiens français québécois de remplacer le porc dans leur assiette par de la viande de cheval. Les Européens en mangeaient, racontait-il dans ses discours, c'était une viande saine, maigre et délicieuse. Évidemment, Maurice Duplessis, chef de l'opposition, veillait. Saisissant l'occasion, il avait tourné l'affaire en dérision. Quelle honte! Godbout *donnait* nos cochons aux Anglais et conseillait d'abattre nos chevaux canadiens! Les cultivateurs québécois, littéralement choqués par cette proposition, étaient bien prêts de croire que manger du cheval c'était devenir cannibale.

Évidemment, mon père avait pris le parti de la boucherie chevaline. J'étais profondément traumatisé par la question : fallait-il ou non considérer le cheval comme un mets? Son destin était-il d'être sur la table, entre la soupe et le dessert? Voilà peut-être pourquoi, cinquante ans plus tard, même face à une alléchante offre d'emploi à La Pocatière, j'ai poursuivi une carrière loin des écuries, me contentant de bichonner ma voiture.

Safari en Anatolie

On m'avait déconseillé de louer une automobile pour visiter la Turquie. Les routes, disait-on, étaient dangereuses, parsemées d'ornières aussi profondes que le cratère d'un volcan ; on y voyait parfois disparaître des voitures entières ; des chauffeurs téméraires conduisaient leurs poids lourds à des vitesses criminelles ; aucun conducteur ne respectait les règles élémentaires de la circulation ; les parcours étaient si poussiéreux que l'on ne voyait rien du paysage ; des minibus délabrés doublaient en klaxonnant, espérant vous pousser dans le fossé ; les ferries qui traversaient les fleuves étaient si primitifs qu'ils coulaient souvent en surcharge. Toutes ces bonnes raisons m'avaient persuadé de réserver une Renault Fuego, catégorie B dans la liste des véhicules disponibles chez un loueur local, car, depuis que j'avais parcouru les pistes abyssiniennes, les chemins haïtiens et les routes mexicaines, le plaisir de conduire à l'aventure me manquait.

Nous nous sommes retrouvés à Harem, petite ville que baigne le Bosphore, face à Istanbul la mystérieuse. Le chemin, de l'aéroport à l'hôtel, traversant le détroit sur un pont routier, ressemblait hélas à un parcours tout à fait civilisé. J'étais impatient de visiter l'arrière-pays. Depuis Harem, sur la rive orientale, la coupole et les flèches de la

mosquée Süleymaniye se découpaient dans le soleil comme une promesse de dépaysement. La chambre donnait sur une terrasse ombragée que j'ai aussitôt transformée en lieu de travail, désirant tenir, dès le premier jour, un journal de voyage, dont certains extraits ont été publiés dans *L'écrivain de province*. Tenir un journal est un exercice qui permet toutes les libertés, vous sautez un jour ou une semaine, peu importe, le fil de la pensée coud ensemble les entrées disparates.

Jamais, par contre, je n'aurais pu entreprendre de roman à la petite table de la terrasse, non pas que l'environnement ne s'y prêtait pas, au contraire. Il était difficile de résister aux fictions qui vous sollicitaient dès que, tôt le matin, vous preniez le traversier pour vous rendre à Istanbul. Les yeux des femmes voilées, les visages mal rasés des hommes, les effluves âcres des parfums, les foules bigarrées qui se pressaient sur la rive, les petits cireurs qui insistaient pour frotter vos chaussures comme les pêcheurs

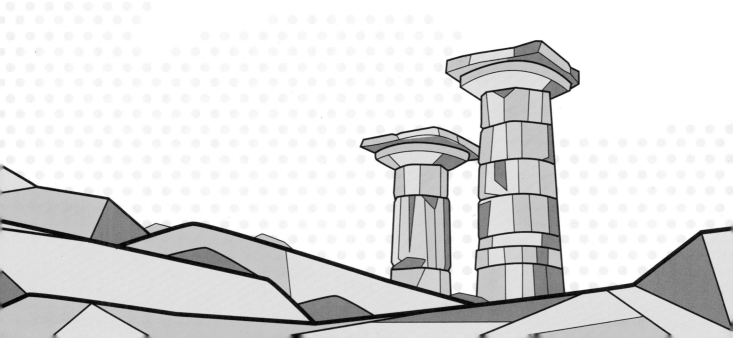

qui arrachaient à la mer de Marmara ses poissons frétillants formaient des tableaux propres à inspirer les plus piètres des écrivains.

Je n'avais qu'une excuse pour refuser un récit romanesque : le temps. Contrainte ridicule peut-être, mais à laquelle je n'ai jamais su échapper : le temps prévisible, le temps disponible, comme un espace à la fois physique et virtuel dans lequel projeter mon écriture. Je suis un homme d'échéances et d'obligation de résultats.

Les genres littéraires imposent d'ailleurs leurs règles. Le poème peut s'écrire en marchant, les vers se précipitent, se corrigent, se retiennent, un bout de papier dans la poche, un crayon à la main. On note une rime, une phrase, au retour dans la chambre il ne reste plus qu'à transcrire et à retravailler les rythmes. Le poème est une écriture qui libère. Le roman vous attache à votre table, cinq ou six heures par jour, sept jours par semaine, et vous ne savez jamais combien de temps durera votre peine. Six mois, deux ans, sept ans ? Vous êtes votre propre juge, vous vous condamnez vous-même. Après le premier brouillon vient la seconde mouture, puis la troisième à déconstruire, à réécrire jusqu'à ce que vous n'en puissiez plus.

Pour un roman, il aurait fallu que je m'installe à Istanbul, transformant les visites des palais d'été et des mosquées en décors, les rencontres dans les souks dorés en personnages, les murmures et les comportements étranges des courtiers de la Bourse à ciel ouvert en intrigues. Mais je n'étais que de passage, le jour en Europe, la nuit en Orient. Je ne disposais que d'une parenthèse, à la merci d'une compagnie aérienne, avec en poche mon billet de retour. On ne peut écrire un roman avec une date de péremption.

Alors je me suis dit que, à défaut des dangers de la littérature, je me risquerais au volant de la Fuego, lançant la voiture vers Izmir, à la recherche des difficultés, des ornières, des cratères, des trous, des dragons et des mastodontes de la route. J'allais malmener la boîte de vitesses, pousser le moteur dans ses derniers retranchements comme un coureur automobile. Peine perdue.

Les routes de la Turquie n'arrivaient pas à la hauteur de mes désirs, elles étaient asphaltées correctement, les camions de cinquante tonnes surchargés circulaient prudemment comme des tortues chinoises, les minibus tenaient patiemment leur côté de la route, il n'y avait pas de courses sauvages à l'horizon et à bord des bacs, pendant les traversées, des marchands de musique nous offraient à prix dérisoires des cassettes de chansons douces.

L'arrière-pays anatolien me refusait le défi espéré, le drame, l'inattendu. Ainsi, d'étape en étape, je prenais conscience que l'auteur du journal de voyage que je rédigeais quotidiennement était en vérité un personnage romanesque, fantasmatique. L'on m'avait raconté une histoire de périples périlleux, ardus, dangereux. Naïf comme un romancier, j'y avais cru. Le Don Quichotte de la route, l'Indiana Jones d'Anatolie, le vrai sujet fictif, c'était moi, au volant d'une Renault Fuego dite « Le Tombeau », filant à cent à l'heure sur une route qui longeait délicatement la mer Égée.

Le bon Sauvage

Un « véhicule », dans le parler *filmboard,* désignait indifféremment une camionnette, une *station wagon* américaine, un minibus ou tout autre moyen de transport qui se pouvait transformer en atelier de travail avec cinq sièges, autant de portières pour un accès rapide à l'équipement (éclairage, trépieds, valises de la caméra et du son) et un espace protégé pour les effets personnels de l'équipe. L'assistant-caméraman, chauffeur en titre, s'assurait que les entrailles du véhicule offrent un maximum d'ordre au nom de l'efficacité de chacun. Tourner un documentaire, c'était partir à la chasse, il fallait être prêt à tout.

Cette fois-là, cependant, nous étions le gibier, attendant depuis deux jours que notre sujet se manifeste. Le véhicule de la production, loué à l'aéroport Charles-de Gaulle, une Citroën spacieuse, conçue comme un croisement entre l'utilitaire et le tourisme, dormait à l'abri dans le parking souterrain de l'hôtel, rue de Vaugirard à Paris, où nous attendions que Piel Petjo Maltais daigne nous téléphoner comme promis.

Les démêlés de Piel avec Interpol, pour diverses fraudes, comme racontés dans les journaux, et son incarcération en Belgique comme gourou d'une secte d'hurluberlus déguisés en Amérindiens avaient piqué ma curiosité. Je lui avais écrit aux soins du directeur de la prison de Bruxelles, mais il ne m'avait pas répondu. Or deux années plus tard, je n'ai jamais su comment il s'y était pris, il m'invitait par interurbain depuis la Finlande à tourner un film sur ses aventures.

Nous ne nous étions pas parlé depuis qu'il avait sauvé nos instruments chez les Micmacs, en Gaspésie, trente ans plus tôt. En un sens, Maltais appelait au secours. Je doutais du sérieux des accusations portées contre lui, il avait planté son wigwam en banlieue de Paris, joué au bon Sauvage pendant vingt ans à travers l'Europe où l'on pourchassait les sectes. L'aventure d'un ami québécois qui se prenait pour un Amérindien m'intéressait d'autant plus que je venais de terminer un film sur un autre mytho- mane, Ernest Dufault, alias Will James, célèbre à Hollywood et dans le Far West.

Le projet était profondément intrigant, car personne n'avait encore réussi à approcher Maltais qui faisait les nouvelles à la télé, dans les journaux et jusque dans les pages de *Paris Match*. Ayant obtenu l'aval de l'ONF, j'étais arrivé en France avec l'équipe, nous avions convenu qu'il nous fixe un rendez-vous en un lieu sûr, mais voilà que Piel, un as de la paranoïa et du secret, ne répondait plus.

Au troisième matin sans signe de piste, comme nous allions remballer les outils et rentrer à Montréal, notre gourou a téléphoné avec un sens du *timing* étonnant. Il était poursuivi, disait-il, par le Mossad, et devait se cacher quelque temps. J'étais venu tourner un film, lui ai-je répondu, nous ne pouvions attendre que ses activités d'espionnage lui permettent de nous recevoir ! Nous avions d'autres obligations, l'ONF n'était pas un organisme caritatif. Qui allait payer les coûts de notre attente ? Il disposait, m'a-t-il expliqué, de traites de onze millions de dollars dans une banque au Vanuatu, mais ne pouvait pour l'instant y avoir accès. J'allais donc devoir rentrer au pays. C'est alors que Maltais avait soudain changé de tactique et proposé pour le lendemain une rencontre dans un hôtel de Maastricht, une langue de terre des Pays-Bas enclavée entre l'Allemagne et la Belgique. Même si nous roulions dans un véhicule anonyme, nous devions nous méfier d'être suivis par des voitures noires aux vitres teintées qu'utilisaient les policiers depuis que les frontières avaient été gommées. Nous avons promis d'être prudents et mis le cap sur l'autoroute.

C'est ainsi que j'ai entraîné mon équipe dans le roman d'un personnage qui n'écrivait pas d'histoires, mais les inventait à mesure. L'hôtel de Maastricht où nous avions rendez-vous, une vaste construction ancienne, était fermé pour l'hiver, mais à la réception on confirma que quelqu'un nous attendait dans une salle à l'étage. Piel Petjo Maltais était en effet assis derrière la porte de la salle à manger déserte, il avait l'allure d'un chef indien, une tresse énorme sur les épaules, un stress de même calibre au ventre, malgré les retrouvailles avec ses concitoyens. Nous ne pouvions le filmer sur place, disait-il, il fallait se revoir le soir même, dans une forêt proche dont il nous a remis le plan.

Ce soir-là, au coucher du soleil, avec une équipe qui commençait à douter de ma santé mentale, nous avons roulé dans un champ jusqu'à l'orée d'un bois dont les arbres poussaient en Allemagne et les branches en Belgique. Un adepte de Piel nous attendait dans un sentier. Il nous a invités à le suivre dans une vaste grotte discrète dont les Romains avaient extrait des blocs de pierre plusieurs siècles auparavant. Abandonnant la Citroën, nous sommes descendus sous terre et avons marché pendant près d'un kilomètre, peut-être en rond d'ailleurs, avant de nous retrouver face à un Piel Petjo Maltais dans toute sa splendeur.

Habillé de plumes et de tissus colorés, il se tenait dos à un autel improvisé sur lequel brûlaient des lampions, pendant que, depuis un grand escalier taillé dans le roc, une chorale mixte de ses adeptes entonnait des hymnes lancinants et incompréhensibles. Il faisait noir comme chez le loup, impossible de filmer autre chose que de vagues silhouettes, les choristes avaient reçu l'ordre de ne pas répondre à mes questions, comme s'ils étaient tous de langue étrangère. Maltais, une fois de plus, s'était moqué de nous.

Je suis d'un naturel patient, j'aime beaucoup les romans d'espionnage pour leur atmosphère et leurs coups fourrés, mais je n'acceptais pas de me faire rouler ainsi. Nonobstant les menaces du Mossad, de la CIA ou d'Interpol, cet individu qui m'appelait au secours quelques semaines plus tôt devait accepter de nous rencontrer le lendemain matin en plein soleil avec ses adeptes, et répondre à mes questions, ou alors nous allions rentrer au Canada.

C'est dans un champ de maïs que nous nous sommes retrouvés vers huit heures, comme convenu, mais Maltais exigeait maintenant un cachet pour participer au film. C'était sa vie, son scénario, ses paroles, sa tribu, nous devions le rémunérer comme nous le faisions pour toute entrevue de spécialiste. Il avait déjà reçu un salaire à Maria comme interprète, pourquoi ne pouvions-nous pas le rembourser pour sa peine?

En échange d'un contrat, le film prenait une autre allure: Piel nous présentait sa fille et ses fils, de magnifiques personnes qui débordaient d'admiration pour lui, une vicomtesse qui l'adorait, pilotait des gros porteurs nolisés et affirmait avoir été témoin d'attaques sauvages contre le gourou. Cette noble personne était disposée à vendre ses biens et son château en Wallonie pour suivre Maltais au bout du monde. D'un jour à l'autre, parfois sceptiques, parfois séduits par le personnage, nous avons exploré un univers étrange dans lequel, de la salle d'un tribunal à une cachette misérable où Piel soignait ses blessures, d'une rencontre avec des chasseurs de sectes au refus des officiers de police de nous ouvrir son dossier, de confidences sur les entreprises du Mossad à des documents qui semblaient authentiques, de films d'archives où l'on voyait Maltais à la tête d'un pèlerinage international pour sauver la planète à une entrevue enregistrée à sa sortie de prison, mon documentaire à propos d'une fiction prenait corps. Le film s'intitulerait *L'affaire Norman William*, l'un des nombreux noms de Maltais qui prétendait en changer au gré des rencontres : « Un nom est un cadeau », expliquait-il. Le tournage a pris fin et nous sommes rentrés en Amérique.

Le film diffusé quelques mois plus tard soulevait des interrogations diverses : certains spectateurs souhaitaient se joindre à Piel pendant que des journalistes dénonçaient en lui l'incarnation du mal (la police française avait même tenté de s'emparer de la pellicule lors d'une projection à Paris). Où Maltais était-il rendu ? Pour ce que j'en savais, il avait suivi un parcours de plus en plus compliqué, un séjour dans les îles du Cap-Vert suivi d'une extradition vers le Canada, une vie précaire à Montréal (malade, il prétendait avoir été empoisonné), des projets de constructions communautaires sans suite, un mariage de complaisance avec la vicomtesse naïve qui lui avait confié sa fortune, puis une fuite soudaine avec quelques adeptes, vers Haïti peut-être ? C'était vraiment, comme dans les chroniques de *Sélection du Reader's Digest*, « l'homme le plus étrange que j'aie jamais rencontré ». À y bien penser, le seul élément sûr dans ce documentaire était le relevé du compteur de la Citroën ; tout le reste n'était que roman.

Le Grand Prix littéraire

Pendant de nombreuses années, j'ai occupé un bureau dans l'édifice principal de l'ONF, à Saint-Laurent, dont les grandes fenêtres donnaient sur l'autoroute Métropolitaine. Des milliers de voitures passaient du matin au soir en un flot continu, d'est en ouest et inversement. Où allaient-elles? Pourquoi ce mouvement incessant? Avait-on vraiment besoin de cette agitation, de cette pollution, de cette dépense d'énergie?

Or il faut admettre que sans l'automobile il n'y aurait eu ni vie sociale ni vie intellectuelle dans Montréal qui interdisait les terrasses et possédait peu de lieux naturels de rencontre, comme on les connaissait en Europe, sans parler de nos six mois d'hiver infernal. Les automobiles servaient *à nous civiliser*. Elles nous permettaient de nous fréquenter, de tenir des réunions amicales et fécondes chez l'un et chez l'autre. C'est en auto aussi que nous nous rendions, hors de la ville, à des colloques universitaires ou à des rencontres de poètes. L'écrivain, afin d'exister dans ce pays, avait autant besoin d'un véhicule que d'instruments d'écriture.

À vingt ans, nous avions acheté, évidemment à crédit, nos premières voitures. Jacques Languirand circulait en Jaguar blanche d'occasion, Jean-Guy Pilon conduisait une Peugeot, André Belleau une Panhard, Jacques Folch-Ribas s'était procuré une petite MG. Quand Gaston Miron circulait en voiture, ses dépenses en contraventions dépassaient l'entendement ; un prix littéraire lui a même un jour évité de se retrouver en prison pour abus de stationnements illégaux.

Après les extraordinaires réunions de la revue *Liberté*, au cours desquelles nous pensions la révolution tranquille, il nous arrivait, le scotch St. Leger nous inspirant, d'entreprendre des courses nocturnes dans Montréal endormie, à la poursuite de la Chevrolet que conduisait Hubert Aquin qui s'efforçait de brûler les feux rouges aux carrefours. Hubert était un passionné, il avait réalisé avec Guy Borremans un court métrage sur la course automobile intitulé *L'homme vite*. Je me souviens qu'un midi il nous avait proposé un défi urbain : filer de l'Office national du film, depuis le parking du chemin de la Côte-de-Liesse, à Radio-Canada au centre-ville, rue Dorchester, en moins de vingt minutes, pour participer à une émission diffusée en direct ! Plus le concurrent partait tard, plus il accumulait de points.

Puis Hubert donna finalement une dimension internationale à sa lubie. Parti en mission en Europe, en compagnie de Jean Le Moyne, dans le cadre d'un projet de films sur la francophonie, Aquin avait abandonné dans un hôtel parisien le vieil écrivain pour se précipiter en Italie discuter avec Fangio, le champion de l'heure, l'idée d'un Grand Prix automobile de Montréal dont il avait situé la piste dans l'île Sainte-Hélène. À son retour, Hubert a pu annoncer fièrement la tenue prochaine de la course, le plan du circuit était publié dans *Perspectives,* un encart en couleurs glissé dans le journal du week-end.

Malheureusement, le lendemain, l'Office national du film réclamait sa démission pour bris de contrat cinématographique et le remboursement des fêtes données dans les restaurants huppés de Paris, Rome et Monaco. Hubert ne faisait rien à moitié. S'il perdit l'organisation du Grand Prix, les bolides de la F1 roulent pourtant l'été au milieu du fleuve devant des centaines de milliers de spectateurs qui ignorent qu'un romancier a inventé le circuit dit « Gilles Villeneuve ».

La dernière voiture

Quand j'en ai eu les moyens, j'ai laissé tomber les européennes poussives, souvent en panne par quelques misérables degrés au-dessous de zéro, pour acheter des américaines, une Corvair sous-vireuse, une Impala que je croyais d'un beau beige et qui s'avéra, ai-je appris, d'un vert d'hôpital (j'avais oublié qu'un daltonien ne doit jamais choisir une couleur sans consulter ses proches) et puis des quantités de familiales de toutes sortes, lambrissées de faux bois, fabriquées par GM, et des Taurus dessinées par Ford en Allemagne dont les cinq portières permettaient de transporter mille choses à L'Isle-Verte où nous avions, en 1968, acheté une ferme entière pour le prix d'une automobile justement.

En l'an 2000, à l'occasion du passage du millénaire, mis en demeure par mon petit-fils Cédric de me procurer une voiture digne de mon état, envisageant de parcourir l'Amérique avec ma femme, j'ai cédé aux arguments de la sécurité et du confort et choisi une Volvo comme on en voit tant dans Outremont.

Mais il y a un âge auquel on se surprend à affirmer, en achetant une nouvelle voiture, qu'elle sera la dernière. Il est d'ailleurs recommandé, après avoir atteint soixante-dix ans, de ne plus céder aux attraits des voitures neuves. Le plus beau modèle, après cet âge, n'ajoutera rien à votre sex-appeal, et les voitures usagées, égratignées, cabossées, rafistolées conviendront mieux à votre image, d'une certaine manière.

Mon père, qui ne pouvait s'habituer aux volumes restreints des voitures récentes, était devenu acheteur de ces énormes Chrysler usagées qui ressemblaient à des bateaux montés sur une suspension pour adeptes de la houle. Au volant de ces autos, il se sentait protégé, comme dans son salon, mais surtout le coffre à bagages lui offrait autant d'espace qu'il en pouvait désirer. Sans être un collectionneur systématique, il ramassait çà et là de vieux objets qu'il conservait pendant des mois. Puis, sur un coup de tête, il s'en séparait, le plus souvent en les abandonnant au fond de mon garage. Sa dernière voiture fut donc une Chrysler 1976, couleur bronze, achetée en bon état cinq ans plus tard, avec laquelle il sillonna L'Isle-Verte et qu'il bichonna jusqu'à son décès.

Les marchands de voiture, ne savent pas séduire les vieux, ils évoquent la vitesse et les performances, ils ignorent que nous cherchons autre chose, la classe, la durée. Il faut peut-être admettre que c'est sur un terrain de golf que la plupart des vieillards cherchent à oublier, sans le savoir, que l'heure de leur dernière voiture approche. Au volant d'un véhicule électrique, qui permet de se rendre à deux pas de la balle sans s'épuiser, les vieux sportifs croient repousser l'échéance de la mort. Ce n'est pas plus mal, la plupart des terrains de golf cherchent de toute façon à ressembler au paradis : pelouses impeccables, étangs calmes, bois discrets, plantes exotiques.

La majorité de mes amis plus ou moins retraités, qui ont d'abord pratiqué le hockey, le tennis ou le ski, n'ont pas échappé au golf. C'est un sport qui vous avale une journée entière, vous devez disposer de temps libre et comprendre

qu'il ressemble d'une certaine façon à la pornographie. Le golf, comme la porno, est un art de promesses et de déceptions, les habitués y reviennent inlassablement. Peu importe votre calibre, votre connaissance du terrain, votre choix du bon bâton, vous ne réussirez jamais à réaliser un parcours parfait. Peu importe la qualité de la pornographie, elle ne vous permettra jamais l'extase à laquelle vous rêvez.

Même au volant d'une voiturette électrique, sur le plus beau terrain de golf, je sais qu'approche le moment où je choisirai une dernière voiture. Vais-je terminer mes jours dans une berline allemande ou au volant d'une limousine japonaise? Ces deux pays ont perdu la Seconde Guerre mondiale, mais ils ont remporté le combat des cylindrées. L'automobile sillonne le XXe siècle.

Un jour, l'État me retirera mon permis de conduire, j'irai au bureau des immatriculations porter la plaque minéralogique dont le « Je me souviens » de la devise prendra tout son sens. Peut-être m'offrira-t-on de la conserver. Si je vis assez vieux pour me retrouver dans un centre gériatrique, derrière un déambulateur, je penserai souvent à la liberté que m'accordait l'automobile. Mais je ne pourrai éviter que mon ultime véhicule soit un fourgon funéraire, ma dernière américaine.

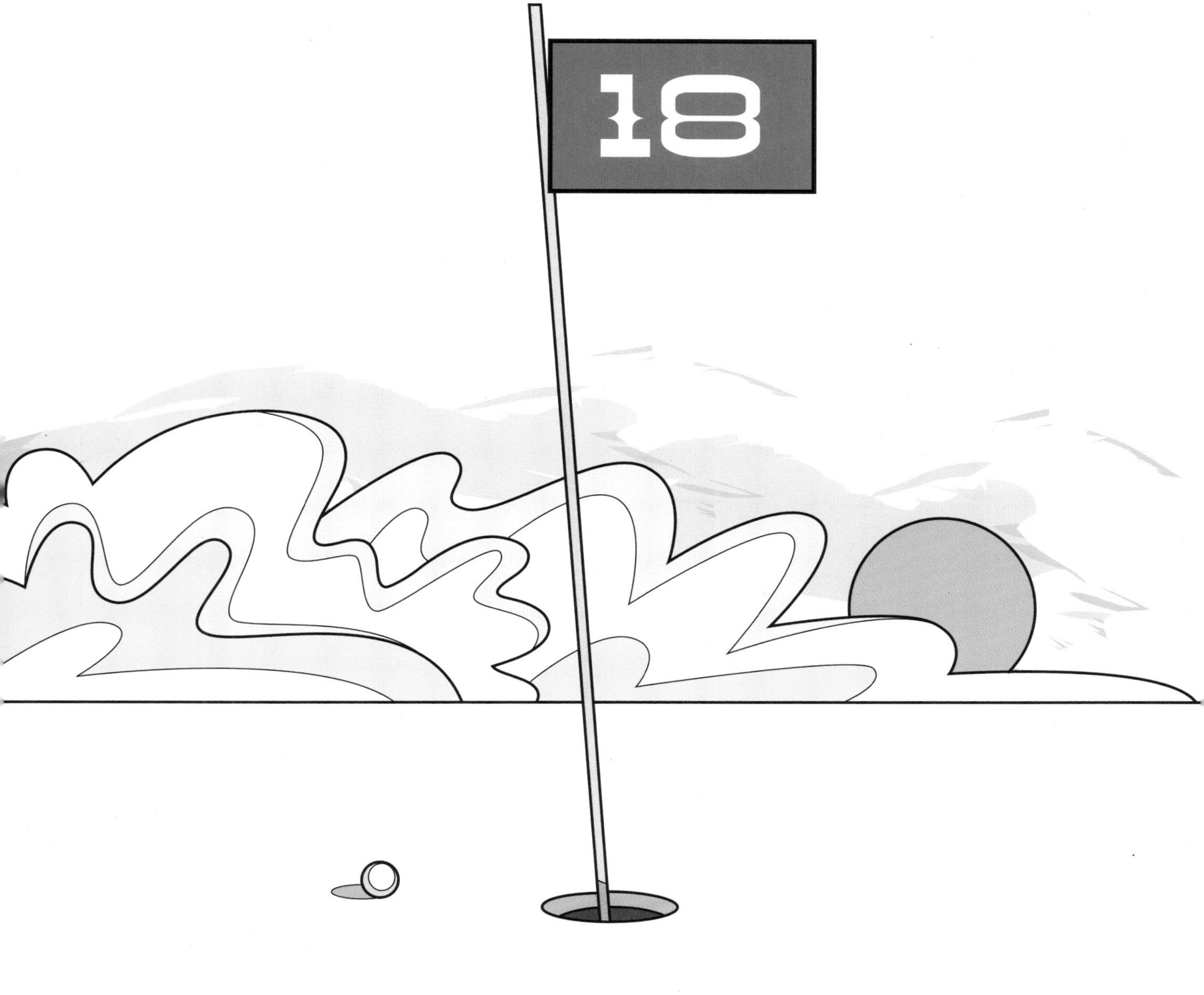
18

STOP

Table des matières

Jacques Godbout
DU MÊME AUTEUR

Aux éditions Les 400 coups

1967. Le Québec entre deux mondes
Jean Rey, en collaboration, 2007

Fanfaron
Illustrations de Fil et Julie
Album jeunesse, 2007

Bizarre les baisers
Illustrations de Pierre Pratt
Album jeunesse, 2006

Mes petites fesses
Illustrations de Pierre Pratt
Album jeunesse, 2003

Chez d'autres éditeurs

La concierge du Panthéon
Roman, Éditions du Seuil, 2006

Opération Rimbaud
Roman, Éditions du Seuil, 1999,
rééd. Éditions du Boréal,
coll. « Boréal compact », 2005

L'idée de pays
Essai, Presses universitaires d'Ottawa, 1998

Le buffet
Essai, Éditions du Boréal, 1998

Une leçon de chasse
Roman jeunesse, Éditions du Boréal, 1997

Le sort de l'Amérique
Scénario, K Films et Éditions du Boréal, 1997

Le temps des Galarneau
Roman, Éditions du Seuil, 1993,
rééd. Éditions du Boréal,
coll. « Boréal compact », 2002

L'écrivain de province
Journal, Éditions du Seuil, 1991

L'écran du bonheur
Essai, Éditions du Boréal, 1990,
rééd. Éditions du Boréal,
coll. « Boréal compact », 1995

Un cœur de rockeur
Documentaire,
Éditions de l'Homme, 1988

Une histoire américaine
Roman, Éditions du Seuil,
coll. « Points Romans », 1986

Souvenir Shop
Poésie, Éditions de l'Hexagone, 1985

Le murmure marchand
Essai, Éditions du Boréal, 1984,
rééd. coll. « Boréal compact », 1989

Les têtes à Papineau
Roman, Éditions du Seuil, 1981,
rééd. Éditions du Boréal,
coll. « Boréal compact », 1991

L'Isle au Dragon
Roman, Éditions du Seuil, 1976,
rééd. Éditions du Boréal,
coll. « Boréal compact », 1996

Le réformiste
Essai, Éditions Quinze, 1975,
rééd. Éditions du Boréal,
coll. « Papiers collés », 1994

D'Amour P.Q.
Roman,
Éditions du Seuil et Hurtubise HMH, 1972,
rééd. Éditions du Seuil, coll. « Points », 1991

Salut Galarneau !
Roman, Éditions du Seuil, 1967,
rééd. coll. « Points », 1979

Le couteau sur la table
Roman, Éditions du Seuil, 1965,
rééd. Éditions du Boréal,
coll. « Boréal compact », 1989

L'aquarium
Roman, Éditions du Seuil, 1962,
rééd. Éditions du Boréal,
coll. « Boréal compact », 1989

Rémy Simard
DU MÊME AUTEUR

Aux éditions Les 400 coups

ALBUMS JEUNESSE

Noël est dans une semaine
2004

Oncle Jules achète une voiture

Jim Moutarde.
À la recherche du fabuleux diamant

Monsieur Noir et Blanc

Où est mon casse-tête ?
2002

Docteur Frankenstein
Coll. « Monstres, sorcières et autres féeries », 1998

L'horrible monstre
Coll. « Bonhomme Sept Heures », 1997

Chez d'autres éditeurs

ALBUMS JEUNESSE

Polly's Pen Pal
Texte de J. Murphy,
HarperCollins Publishers, 2005

Un secret pour Matisse
Texte de Jennifer Tremblay,
Éditions de la Bagnole, 2004

Captain Invincible and the Space Shapes
Texte de J. Murphy,
HarperCollins Publishers, 2001

Monsieur Ilétaitunefois
Illustrations de Pierre Pratt,
Autrement Jeunesse, 1999

Mon chien est un éléphant
Illustrations de Pierre Pratt, Annick Press, 1994

La bottine magique de Pipo
Illustrations de Pierre Pratt, Annick Press, 1995

Roberval Kid (quatre titres)
Éditions Pierre Tisseyre, 1991-1994

Les aventures de Billy Bob (dix titres)
Textes de Philippe Chauveau, Éditions du
Boréal, coll. « Boréal Maboul », 1997-2006

ROMANS JEUNESSE

Le rayon gommant
Éditions du Boréal, coll. « Boréal Maboul », 2006

Les acariens attaquent
Éditions du Boréal, coll. « Boréal Maboul », 2002

Le léopard à la peau de banane
Éditions du Boréal, coll. « Boréal Junior », 1993

La B.D. donne des boutons
Éditions du Boréal, coll. « Boréal Junior », 1991

BANDES DESSINÉES, DESSINS D'HUMOUR

Boris (deux titres)
Éditions de la Pastèque, 2007

Super Boris
Éditions de la Pastèque,
coll. « Pamplemousse », 2006

Méchant Boris
Éditions de la Pastèque,
coll. « Pamplemousse », 2003

Monsieur le Président
Éditions du Kami-Case, 2001

Le père Noël a une crevaison
Éditions du Kami-Case, 1994

Les Momie's
Scénario de Philippe Chauveau,
Éditions du Kami-Case, 1988

Gardez l'antenne
Éditions Pierre Tisseyre

Je sens qu'on me regarde
Éditions du Kami-case

Les aventures de Ray Gliss (deux titres)
Scénario de François Benoit, Éditions Ovale

COLLECTIFS

Et vlan!
Éditions de la Pastèque, 2006

L'appareil
Éditions de la Pastèque, 2005

Écran d'arrêt
ACIBD, 1991